Super cousine

Castor Poche
Collection animée par
François Faucher et Martine Lang

Titre original :

GET LAVINIA GOODBODY !

Une production de l'Atelier du Père Castor

ROGER COLLINSON

Super cousine

illustrations de
BÉATRICE SAVIGNAC

Traduit de l'anglais par
HERVÉ ZITVOGEL

Castor Poche Flammarion

Roger Collinson, l'auteur est né en 1936 à Londres, mais il vit depuis 25 ans à Southend-on-Sea, une ville située à l'embouchure de la Tamise. Écrire n'est pas son activité principale puisqu'il est instituteur. C'est pourquoi, bien que célibataire et sans enfants, il connaît si bien ses jeunes lecteurs et n'a jamais écrit que pour eux.

Ses histoires naissent de situations réelles mais elles sont ensuite laissées à la fantaisie de son imagination et il ne sait jamais à l'avance comment elles se termineront.

Super Cousine a aussi été traduit en allemand, en néerlandais et en espagnol.

Hervé Zitvogel, le traducteur, se souvient d'avoir été, vers onze ans, comme Figgy, « plus fluet qu'une sauterelle » et d'avoir jalousé le flegme et l'assurance de ses aînés.

« N'ayant pas eu à me mesurer à une cousine trop parfaite, je n'ai jamais comploté non plus avec un gang douteux afin de me venger d'elle, mais ce désir de revanche dont brûle Figgy-le-Gringalet a éveillé en moi bien des souvenirs. Qui n'a jamais, au seuil de l'adolescence, souffert d'être *trop petit* pour tout ce qui semblait tentant et *trop grand* pour avoir encore droit à l'indulgence ? Onze ans, n'est-ce pas l'âge où le monde extérieur devient terriblement exigeant, alors qu'il vous refuse désormais toute clémence ? C'est contre cette injustice, plus que contre sa cousine, que se révolte Figgy. »

Super cousine !

Céder sa chambre à un hôte de passage, c'est la barbe. Si l'hôte est une cousine de douze ans qui vous regarde de haut parce que vous n'en avez que onze, c'est pire. Si en plus elle est polie, et serviable, et douée pour tout, au point qu'à côté d'elle vous avez l'air minable, ce n'est plus tolérable. Tel est du moins l'avis de Figgy, et lorsque le chef du gang dont il rêve de faire partie lui ordonne de « donner une bonne leçon » à cette odieuse cousine, Figgy a une idée de génie...

Quels que soient nos maux, nos misères,
Il y a toujours une femme derrière...
William S. Gilbert
(*Fallen Fairies*)

1. Le retour du héros

Pour la trente-neuvième fois de sa vie, Figgy s'enfuyait de chez lui.

Encore un drame de l'enfance maltraitée ? Pas vraiment. Les enfants martyrs existent, hélas. Mais Figgy n'était pas de ceux-là. A dix ans et demi, bientôt onze, Michael Figg (Figgy pour les copains) n'avait pas dû recevoir plus de cinq fessées dans sa vie. Et malgré sa silhouette grêle on devinait au premier coup d'œil qu'il ne vivait pas de quignons de pain.

Non, mais Figgy avait son petit caractère. Et là où d'autres auraient grogné « C'est pas juste ! », ou tapé du pied, ou claqué la porte, ou boudé dans leur chambre pendant une heure au moins, Figgy réagissait à sa façon : il s'enfuyait de chez lui.

Ce qui ne l'empêchait d'ailleurs pas de grogner « C'est pas juste », ni de taper du pied, ni de claquer la porte. Mais au lieu de s'enfermer dans sa chambre, il décrétait « Je quitte cette maison » et s'en allait.

— Tiens ? Où est donc Michael ? s'étonnait son père.

— Oh ! il est parti, répondait sa mère. Encore une fugue. Alors, et ce riz, tu en as trouvé ? Du long grain, comme je t'avais demandé ?

Plutôt serein, comme réaction, de la part d'une mère dont le rejeton vient de s'enfuir de la maison. Mais rappelons que Figgy fuguait souvent, et revenait tout aussi souvent. En général, on le voyait réapparaître vers midi, midi et demie, ou juste avant l'heure du dîner s'il était parti l'après-midi. M. Figg était assez strict sur les horaires des repas. Chez lui, les retardataires, on ne les attendait pas. Et jusqu'alors jamais Figgy n'avait quitté la maison avant son bol de céréales du matin.

Mais cette fois-là, la trente-neuvième, était la bonne. Figgy ne reviendrait plus. Jamais, jamais, jamais. Tout le contenu de sa tirelire bien calé au fond de sa poche, il marchait droit vers la gare routière. Pour quoi faire ? Pour prendre un bus. Un bus pour où ? Un bus pour Ailleurs. Et ensuite ? Ensuite, on verrait. Peu importait. Tout vaudrait mieux que cette fichue Maison où Figgy n'avait plus sa place.

Comme tous les samedis à cette heure de l'après-midi, la gare routière était noire de monde. Leurs emplettes achevées, chargés comme des baudets, les gens n'avaient plus qu'une idée, rentrer chez eux et se faire un thé. Et tant pis si leurs paquets, qui débordaient de partout, labouraient au passage les côtes des honnêtes passants (comme Figgy). Tant pis si, en esquissant le geste de flanquer une gifle à leurs gosses, c'était à vous qu'ils décochaient un grand coup de coude.

Dans sa hâte à quitter les lieux, Figgy ne réfléchit pas vraiment. N'importe quel bus ferait l'affaire. Celui qui attendait là, ses portes grandes ouvertes, par exemple. Sans un regard pour le panneau indiquant la destination, Figgy se hissa à bord et monta directement à l'étage dans l'espoir de s'asseoir à l'avant, son poste d'observation favori. Pour sa grande joie, l'étage était désert. Figgy l'avait tout à lui. Il prit possession de son siège favori, juste au-dessus du conducteur – et contempla la foule qui s'agitait en bas.

Quelques minutes encore et Kirkston serait derrière lui. Quelques minutes encore et, à la maison, on se poserait des questions. « Où est Michael ? » « Quelqu'un a vu Michael ? » Voilà ce qu'ils demanderaient, tous. Et lorsqu'ils comprendraient qu'il était parti pour de bon, parti pour ne plus revenir, ils en auraient la tête à l'envers et ce serait bien fait pour eux, oui, bien fait !

Du moins, c'est ce que Figgy espérait.

Ainsi donc, Maman pensait (elle-même l'avait dit à midi) que ce serait bon, pour changer, d'avoir une fille à la maison ! Eh bien ! elle pourrait se la garder, sa fille à la maison. Si tante Jane et oncle Mick étaient d'accord, elle pourrait la garder pour toujours. Il y avait une chambre pour elle, à la maison. La chambre de Figgy.

Tout avait commencé par une lettre arrivée le mois précédent, une lettre de tante Jane, justement. Dans cette lettre, adressée à Maman, tante Jane annonçait que l'oncle Mick et elle venaient de gagner, dans un concours, cinq jours de vacances pour deux à Amsterdam, tous frais payés. Où se trouvait Amsterdam, Figgy n'aurait su le dire, mais la question le concernait peu ; il avait oublié la nouvelle. Malheureusement, trois jours plus tard, une autre lettre avait suivi, et cette fois tante Jane demandait si Lavinia ne pouvait pas venir passer ces cinq jours « chez ses petits cousins ». Si c'était impossible, bien sûr, oncle Mick et elle étaient prêts à l'emmener avec eux, quitte à payer un supplément. Simplement, ils caressaient le rêve de faire cette escapade à deux, comme un second voyage de noces...

Mais Figgy, lui, ne caressait pas le rêve d'avoir sa cousine à la maison. Oh ! il n'avait rien contre elle, rien de personnel en tout cas. Tout juste s'il se souvenait de l'avoir rencontrée une fois, dans un passé brumeux, lors d'un mariage où elle devait être demoiselle d'honneur. Non, il ne lui voyait que deux défauts : un, elle venait à la maison, et deux, c'était une fille.

— Elle n'a qu'un an de plus que toi, tout juste, lui avait rappelé sa mère. Vous pourrez jouer ensemble. Ce sera l'idéal, pour toi. Tu dis toujours que tu t'ennuies, en vacances.

Quant à Peter, il avait gloussé :

— On ne sait jamais, c'est peut-être le début d'une grande histoire d'amour ? Si tu as besoin de conseils, petit frère, tu sais où t'adresser.

— Peter ! avait coupé Mme Figg. Ne dis donc pas de sottises. Et laisse ton frère tranquille, je te prie. Tu sais dans quel état il se met dès que tu commences à le taquiner.

Peter s'était tu — mais pas pour longtemps. Chaque fois qu'ils étaient seuls, il rappelait à Figgy que bientôt la belle Lavinia allait entrer dans sa vie, que ce serait sans doute le début d'une folle passion. Résultat : avant même d'avoir revu cette cousine oubliée, Figgy la détestait de tout son être.

Pour couronner le tout, l'avant-veille, leur mère avait lâché sa petite bombe : Figgy allait devoir céder sa chambre à l'arrivante. Durant ces quelques jours, il prendrait pension chez son frère.

— Ma chambre ? Pourquoi ma chambre ? s'était récrié Figgy. Pourquoi ne pas la mettre plutôt dans celle de Peter ?

— Parce que la tienne est trop petite. Ah ! je vous vois bien dedans, tous les deux ! En moins de cinq minutes, vous en viendriez aux mains. Non, il n'y a pas trente-six solutions : tu dormiras sur le plancher dans la chambre de Peter.

Figgy s'en était presque étranglé.

— Sur le plancher ?

— Michael, pas de scène, je t'en prie. Quand nous sommes allés chez Grand-Mère, qui a réclamé à cor et à cri l'honneur de dormir dans le sac de couchage ?

Figgy n'avait pu nier l'évidence. Mais il continuait d'estimer qu'il y avait une belle différence entre passer la nuit de Noël sur le tapis du salon de sa grand-mère et dormir par terre une semaine dans sa propre maison. Et tout ça pour quoi ? Pour céder *son* lit et *sa* chambre à une fille qu'il n'aurait même pas reconnue dans la rue !

Il était revenu à la charge :

— Et mes affaires ? Elle va fouiner partout dans mes affaires, combien je parie.

— Mais non, avait assuré sa mère. C'est une fille. Quel intérêt veux-tu qu'elle trouve à tes revues de football, tes piles d'illustrés, tes modèles réduits à moitié terminés, tes bocaux d'insectes, ta panoplie de chimiste et que sais-je encore ?

— N'empêche qu'elle va...

— Et si vraiment, dans ce bric-à-brac, il se trouve de tels trésors que tu ne veuilles pas les perdre de vue une minute, c'est simple : prends-les avec toi dans la chambre de ton frère.

— Hé ! pas dans ma chambre ! s'était offusqué Peter. Doucement ! Faudrait pas confondre avec la décharge municipale.

Pendant trois jours, Figgy n'avait pas desserré les dents. Son frère et lui ne pouvaient pas se croiser sans échanger des propos aigres ou des coups de poing dans les coins sombres.

Lavinia devait arriver par le train cet après-midi. M. Figg irait la chercher à la

14

gare tandis que sa femme préparerait le thé. A midi, Mme Figg avait fait remarquer :

— Les garçons, ce serait gentil si vous alliez avec Papa accueillir Lavinia à la gare.

— Impossible, avait décrété Peter, laconique. Entraînement de foot à quatre heures.

— Entraînement ? En vacances ? s'était étonnée leur mère. Et toi, Michael ? Tu ne fais rien de spécial, que je sache. Toi qui adores regarder les trains...

— Moi, regarder les trains ? Quand j'étais petit, oui. J'ai passé l'âge ! Si Peter n'y va pas, moi non plus.

Et rien ni personne n'avait pu le convaincre d'accompagner son père à la gare.

— J'aimerais savoir ce que tu t'es fourré dans le crâne, avait conclu sa mère. Tout ce que je peux dire, c'est que moi je vais trouver bien bon d'avoir une fille à la maison ; ça me changera un peu. Parce qu'en matière de garçons, franchement, j'ai mon compte !

C'était la petite goutte qui avait fait

déborder le vase : Figgy avait quitté *cette maison.*

Quitter la maison, d'ordinaire, signifiait aller faire un tour dans le parc, ou le long de la rivière. Figgy n'avait encore jamais pris de bus tout seul, et moins encore un bus en partance pour Ailleurs, pour une destination inconnue.

Et cet imbécile de bus qui ne se décidait pas à partir !

Attendre tout seul dans son coin — surtout attendre l'aventure — réussit à fort peu de gens. Le plus souvent, au fil des minutes, l'exaltation du départ retombe. C'est un peu comme un ballon percé d'un trou minuscule ; il se dégonfle, il se ratatine, bientôt il n'en reste plus rien. Le phénomène est bien connu des voyageurs en partance. Lorsque le grand départ tarde trop, qu'on soit sur un quai de gare ou dans un hall d'aéroport, la joie de partir laisse bientôt place à un malaise indéfinissable, et on se prend à souhaiter revoir des visages familiers dans un décor familier.

Dans le bus immobile, Figgy se demanda soudain où il passerait la nuit. Les granges et les meules de foin, dans les récits d'aventures, offraient des gîtes parfaits aux héros résolus, comme lui, à parcourir le monde et à vivre leur vie. Le problème était que Figgy n'aimait pas trop l'obscurité, pas plus d'ailleurs que les souris, les insectes et autres bestioles. Il en venait à se demander si l'aventure, tout compte fait, était aussi drôle dans la réalité que dans les bandes dessinées. Un duvet dans la chambre de Peter et une veilleuse sur le palier, ce n'était pas si mal, au fond.

Et les rôdeurs, hein ? Et les maraudeurs ? S'il tombait sur l'un d'eux, justement ? S'il disparaissait sans laisser de trace, comme ces enfants dont on voyait les photos dans les journaux ? Déjà Figgy imaginait ses parents à la télévision, en train d'expliquer, en larmes, à quelle heure et dans quelle tenue leur fils cadet avait été vu pour la dernière fois. Pull vert, pantalon marron, baskets blanc et bleu... Il ravala la grosse boule qui s'était formée dans sa gorge et serra les dents. S'il disparaissait, tant mieux ! Ce serait bien fait pour eux ; ça leur apprendrait à le mettre à la porte pour mieux accueillir leur chère Lavinia.

Un bruit de voix l'arracha à ses rêves de vengeance. Un petit groupe montait dans le bus et gagnait l'étage. Deux enfants surgirent d'abord, en claquant des pieds sur chaque marche — un garçon et une fille de six ou sept ans, pas plus. Leurs parents suivirent à pas lents, chargés des provisions de la semaine. Apercevant Figgy sur le siège convoité, les petits se turent un instant, puis le garçon dit à sa sœur :

— Bon, tant pis, viens. On redescend !

— Sûrement pas ! haleta leur mère qui se hissait, écarlate, sur la toute dernière marche. On est montés ici pour vous faire plaisir, on y reste.

Ce disant, elle s'écroula sur la banquette la plus proche.

— Bien d'accord, approuva le père en se casant derrière sa femme, ses paquets en petit tas à côté de lui.

Figgy soupira. C'était bien sa chance. Plus moyen d'avoir la paix, avec ces quatre paires d'yeux braqués sur lui.

Il avait tort de s'inquiéter. Les parents ne le voyaient même pas, trop occupés qu'ils étaient à discuter entre eux du prix de la viande, de la chaleur qu'il faisait « là-dedans », du chat de la voisine et d'une certaine Mme Foskett. Quant aux enfants, chacun insistait pour montrer à l'autre des merveilles dont il se moquait. Ils discutaillaient, se contredisaient, se tapaient dessus toutes les vingt secondes.

— Comme Beryl vient dîner demain, disait leur mère à son mari, je pense faire une charlotte à la crème Chantilly...

A la crème Chantilly ?

Ce petit mot, « Chantilly », produisit sur Figgy l'effet d'un électrochoc. Il se souvenait d'avoir vu sa mère ranger un pot de crème fraîche au frigo, le matin même. Il se souvenait de l'avoir entendue annoncer : « Pour fêter la venue de Lavinia, ce soir, je vais faire un diplomate. »

Les diplomates de Mme Figg étaient à faire damner un saint. Entre deux tranches de biscuit de Savoie imbibées de sirop de framboise, des raisins secs et des amandes se nichaient dans une couche de crème anglaise au kirsch, et le dessus du gâteau s'ornait de Chantilly parsemée de copeaux de chocolat.

Pareil chef-d'œuvre, bien sûr, ne figurait au menu que dans les grandes occasions : Noël, anniversaires, visites d'hôtes de marque...

Figgy en avait l'eau à la bouche. Voilà que son estomac gargouillait déjà. A propos... de quoi serait fait son prochain repas ? Lorsqu'il aurait payé son trajet de bus, il ne lui resterait plus un sou. Que mangeait-on, au juste, quand on était en fugue ?

Si seulement il avait songé à emporter du pain, du fromage ou des biscuits secs !

Des biscuits secs, un jour de diplomate ?

Et Peter qui allait se goinfrer de sa part, l'animal ! Il n'en laisserait pas une miette.

Encore une injustice insoutenable.

Figgy se tourna vers son voisin, de l'autre côté de l'allée.

— S'il vous plaît... vous auriez l'heure ?

L'autre n'entendit pas. Figgy réitéra sa question.

— Il voudrait savoir l'heure, dit la dame à son mari.

— Dans les quatre heures et demie, par

là, répondit le gros monsieur. On ne devrait pas tarder à partir.

Figgy n'hésita pas un instant. A condition de ne pas perdre une minute, il lui restait une petite chance d'être de retour à temps pour le thé. Il aurait sa part de diplomate et quitterait la maison demain. Mieux préparé, l'estomac plein. Oui, c'était la meilleure chose à faire.

A cet instant, le bus poussa un ronflement puissant et frémit de toute sa carcasse. Une cloche tinta quelque part. A la grande horreur de Figgy, le lourd véhicule s'ébranlait. Déjà il quittait la gare routière et s'engageait sur l'avenue vers la sortie de la ville, déjà il prenait de la vitesse. Pétrifié, Figgy regardait défiler les boutiques, les immeubles de bureau, les hypermarchés, les stations-service. Une longue rue en pente, un carrefour, un feu rouge qui passait au vert, un changement de vitesse... Le bus entamait la remontée, en route pour Dieu seul savait où.

Enfin, Figgy s'arracha à sa stupide paralysie. Vite ! Il fallait descendre ! Descendre au rez-de-chaussée d'abord, puis descendre du bus.

Il s'élança dans l'escalier... pour se retrouver nez à nez avec le contrôleur qui montait.

Ledit contrôleur, par malchance, n'avait aucune indulgence pour les gamins de l'âge de Figgy. De rudes années de service auprès de cohortes d'écoliers lui avaient appris à se méfier de cette engeance. Soupçonneux par principe, il barra la route à ce gamin qui descendait et, poursuivant son ascension, la bedaine en avant, força Figgy à battre en retraite à reculons.

Figgy avala sa salive et bredouilla :

— S'il vous... s'il vous plaît. Je voudrais... descendre.

— On ne t'a jamais appris que dans un bus on ne descend pas quand quelqu'un monte ? (Le contrôleur prit le couple à témoin.) Ah, les gosses d'aujourd'hui ! Si encore les parents leur enseignaient la politesse, mais pensez-vous ! Neuf fois sur dix, la politesse, ils ne savent même pas ce que c'est.

Mari et femme hochèrent la tête en signe de commisération. Les petits dévoraient Figgy des yeux et se demandaient quel crime il avait pu commettre.

— S'il vous plaît, implora Figgy, au bord des larmes. Il faut que je descende !

Sans un mot, le contrôleur leva le bras et actionna une sonnette. De l'autre main, il fit tourner la manivelle de la machine qu'il portait en bandoulière. Un ticket en sortit, qu'il brandit sous le nez de Figgy en annonçant :

— Vingt pence.

— Comment ? s'écria Figgy.

— J'ai dit : vingt pence. De la gare routière au prochain arrêt, demi-tarif, vingt pence.

— Mais je me suis trompé, plaida Figgy. Je ne voulais pas faire le trajet.

— Oh ! s'indigna la dame. Ne raconte pas d'histoires. Tu étais assis là quand nous sommes arrivés, et tu as demandé à mon mari à quelle heure le bus partait.

— Voyez ! triompha le contrôleur. Voyez ce que je vous disais ! Ils ont tous les trucs, vous pouvez me croire. Allez. Donne-moi ces vingt pence ou j'appelle la police.

Figgy tira l'argent de sa poche. Il descendit l'escalier. Juste à temps : le bus se rangeait devant l'arrêt. La porte s'ouvrit. Figgy s'échappa d'un bond.

Et maintenant, où était-il ?

Ce sacré bus n'avait pas roulé cinq minutes, et pourtant Figgy se serait cru sur la Lune. Perdu ? Pas vraiment : il suffisait de repartir en sens inverse, et c'était toujours tout droit. Mais il ne reconnaissait rien.

La rage au cœur, il se mit en route au petit trot. Quel gâchis ! Vingt pence jetés par la fenêtre et pour quoi ? Pour le plaisir de parcourir à fond de train les trois ou quatre kilomètres qui devaient le séparer de la maison — au risque d'arriver en retard pour le thé. Et Maman serait furieuse, elle exigerait des explications. Tout en courant, Figgy cherchait que lui dire. Qu'il s'était perdu ? Hum, dans Kirkston ? Pas très plausible. Une histoire d'enlèvement, alors ? Non. Pas quand on avait des parents qui se plaignaient du prix du beurre. Et s'il disait avoir perdu la mémoire ? C'étaient des choses qui arrivaient ; Figgy avait vu une émission là-dessus. Des gens qui ne savaient plus qui ils étaient, où ils habitaient. Des amnésiques, on les appelait. Figgy pouvait toujours prétendre qu'il s'était retrouvé à l'autre bout de la ville sans savoir comment. On verrait bien ; ça valait le coup d'essayer, en tout cas.

Et il trottinait vaillamment, avec juste un petit point de côté, sans s'arrêter pour souffler. Naturellement, tous les passants circulaient en sens inverse, et deux par deux, pour mieux le gêner. Figgy louvoyait, pestait tout bas contre ces gens qui ne savaient pas ce que c'était que d'être en retard. Surtout quand on avait une mère avec minuterie incorporée — et qu'on risquait de manquer sa part de diplomate.

Enfin il tourna rue Stanley. Enfin il s'engagea au trot dans l'allée du 17. Il contourna la maison pour entrer par-derrière (jamais les habitués n'utilisaient l'entrée principale). La porte de la cuisine était ouverte et de joyeux éclats de voix volaient jusqu'au jardin. Figgy risqua un coup d'œil à la fenêtre : ils étaient là tous trois, qui lui tournaient le dos, en grande conversation avec la visiteuse.

2. Je n'aurais jamais dû écrire ça...

Perchée sur un tabouret de cuisine, Lavinia bavardait, tout sourires, avec son oncle, sa tante et son cousin Peter. Elle n'avait plus grand-chose de commun avec la demoiselle d'honneur dont Figgy avait gardé un vague souvenir. C'était une grande fille aux cheveux châtains luisants, en salopette, tee-shirt et baskets. Elle avait beau n'avoir que douze ans, on lui en aurait donné treize ou quatorze. Figgy n'apprécia pas ce détail.

— Je me demande où est passé Michael, disait justement sa mère. Ça ne lui ressemble guère d'être en retard pour le thé.
— Ce ne serait pas lui que j'aperçois là ?

demanda Lavinia. En train de nous épier à la fenêtre ?

Figgy rentra le cou dans les épaules. Trop tard.

— Michael ! appela sa mère. Mais qu'est-ce que tu fabriques, enfin ? Viens dire bonjour à ta cousine.

Décidément, les choses commençaient mal. Aussi mal que Figgy l'avait toujours prédit. Non seulement, à cause de cette fille, on le mettait à la porte de sa chambre, mais encore, du premier coup, elle trouvait le moyen de le ridiculiser. Hélas, que faire à présent ? Que faire, sinon entrer et se montrer poli, aussi poli que possible ?

— Ah ! te voilà, lui dit sa mère. Dis bonjour à ta cousine.

— Bonjour, marmotta Figgy.

— Salut, répondit Lavinia avec un franc sourire, du haut de son tabouret. Tatie me dit que tu me laisses ta chambre, c'est gentil à toi, merci.

Peter lança un clin d'œil à son frère. Figgy détourna les yeux et croisa le regard maternel, lourd d'avertissements.

— Le train de Lavinia avait du retard,

expliqua M. Figg. Nous venons juste d'arriver.

— Oui, et tu dois mourir de faim, Lavinia, compléta Mme Figg. L'heure du thé est passée depuis longtemps. Montons tes affaires bien vite et je mets la bouilloire sur le feu. Peter, tu veux bien emporter cette valise à l'étage et montrer sa chambre à Lavinia ?

— Non, moi ! s'écria Figgy. J'y vais.

— Cette valise est trop lourde pour toi, objecta sa mère. Laisse donc faire Peter.

— Non, non, insista Figgy avec un empressement suspect. Il vaut beaucoup mieux que ce soit moi. Je pourrai... c'est ma chambre, je sais où se trouvent les choses et tout.

— Bon, si tu y tiens tant, s'inclina Mme Figg, un peu perplexe. (Elle avait beau chercher, elle ne voyait pas ce qui pouvait motiver ce brusque accès de bonne volonté.) Allons, conclut-elle en se forçant un peu, je vois que vous allez bien vous entendre, ta cousine et toi.

Panique !

La panique a au moins ce mérite : elle procure des ailes. Sous l'effet de la panique — pour des raisons connues de lui seul — Figgy gravit les dix-huit marches, malgré la lourde valise, plus vite qu'il ne les descendait d'ordinaire, même en sautant les quatre dernières.

C'était un miracle, un mi-racle : sa mère ne savait rien, elle n'avait rien vu, rien trouvé... Vite ! Il était encore temps.

Le cœur tambourinant, de son unique main libre, Figgy fonça sur la porte de sa chambre. La porte s'ouvrit à la volée, et Figgy fit son entrée en s'étalant de tout son long.

Sans prendre le temps de se relever, il allongea le bras et chercha à tâtons le corps du délit sur sa table de nuit. Ah ! voilà. Il le tenait. Il referma les doigts dessus et le fourra dans sa poche.

Sauvé !

Soulagé, encore tout tremblant, il se laissa retomber par terre — juste une seconde, le temps de recouvrer ses esprits.

La mémoire lui était revenue brusquement lorsque sa mère avait parlé de montrer sa chambre à Lavinia. Mais comment, comment avait-il pu oublier ? Comment n'avait-il pas songé à cette bombe à retardement ? Peu importait ;

il n'y avait plus pensé. Il avait complètement oublié le billet incendiaire qu'il avait lui-même placé en évidence sur sa table de nuit, juste avant de partir, quelques heures plus tôt.

Si encore il s'était contenté d'y annoncer qu'il quittait la maison pour ne plus jamais revenir ! Hélas, il ne s'en était pas tenu aux seuls faits. Dans ce billet, il avait écrit ce qu'il pensait de la venue de sa cousine. *Tout* ce qu'il en pensait. Et ce n'était pas rien.

Lorsqu'on s'en va pour toujours, on se sent plus libre d'écrire des choses qu'on n'oserait jamais formuler si l'on devait revoir ceux à qui l'on s'adresse.

Or Figgy avait écrit des *choses*. Des choses sur Lavinia, surtout. Des choses trop effroyables pour les transcrire en caractères d'imprimerie. Même les passages les plus châtiés comportaient de regrettables allusions à certains animaux de ferme. Et il y en avait un feuillet entier, griffonné des deux côtés. Jamais Figgy n'avait rien rédigé d'aussi long.

— Hé, ça va ? Tu ne t'es pas fait trop mal ?

Il ne s'était pas encore relevé que Lavinia l'avait déjà rejoint. Elle était debout à la porte et le regardait de haut, c'est-à-dire de toute sa taille.

— Mal ? Tu veux rire. J'ai buté, c'est tout.

— Qu'est-ce qu'il a fait, encore ?

Sa mère arrivait à son tour, suivie de Peter et de M. Figg, intrigués par ce grand « badaboum ! » à l'étage.

— Voilà ce qu'on gagne à faire l'intéressant, commenta Mme Figg. On veut jouer les gros bras, et voilà ! Je te l'avais dit, que cette valise était bien trop lourde pour toi.

— Nom d'une pipe, ricana Peter. Encore heureux, ce n'était pas Lavinia qu'il portait !

Leur père toussota pour garder son sérieux. Figgy décocha à son frère un regard noir.

La table disparaissait sous un festin de roi : salade au jambon et aux noix, roulé à l'orange, meringues à l'italienne et, à la place d'honneur, le diplomate des grandes occasions. Les messieurs, trop occupés à vider leurs assiettes, laissaient à Mme Figg le soin de faire la causette avec leur invitée.

— Alors comme ça, en natation, tu as déjà ton dauphin d'argent ? Bravo, tu es un vrai poisson ! Ton cousin Peter ne nage pas mal, non plus, mais Michael tarde à s'y mettre. Pour le moment, il reste prudemment là où il a pied... Du cheval ? Tu fais de l'équitation aussi ? Alors ça ! Mais pas du saut d'obstacles, tout de même, dis-moi ?... Et de la danse classique ! Oh, c'est merveilleux. Quelquefois, je me dis que j'aurais bien aimé avoir une fille — une petite fille qui aurait fait de la danse, justement... Ah bon, il y a aussi des garçons dans ton cours ? Malgré tout, je ne vois pas trop bien Michael en collant, en train de faire des pointes... Et tu viens encore de te classer première dans un concours de violon alto ? Oui, j'avais remarqué ton étui à violon. Il faudra que tu nous joues de petits airs... Mais bien sûr que tu pourras t'exercer tous les jours. Pour atteindre le niveau où tu es, il a fallu que tu travailles beaucoup, je m'en doute. C'est ce que je répète sans cesse à Michael : dans la vie, pour arriver à quelque chose, il faut travailler, encore et toujours travailler.

Figgy rongeait son frein. Elle avait donc tous les talents, cette satanée cousine ? Tout lui réussissait ? Même leur père avait l'air de trouver longuette cette litanie de succès.

Pour se retenir de soupirer, Figgy se concentrait sur le diplomate au milieu de la table.

Enfin sa mère saisit la pelle à tarte et s'attaqua au service du chef-d'œuvre. Instant sublime et délectable, régal inégalé pour la vue, l'ouïe et l'odorat mêlés. O l'indicible bruit de succion du gâteau gorgé de jus dont on soulève une part ! O le voluptueux flop ! de la portion qui atterrit dans l'assiette et s'y affaisse avec grâce. O les coulées de sirop, de crème anglaise et de Chantilly qui s'en échappent, mêlant leurs couleurs, leurs textures, leurs parfums ! O l'eau qui vous vient à la bouche, ô le centième de seconde qui précède la toute première cuillerée ! Pareille extase faisait oublier toutes les misères de la vie. Enfin, presque.

Restait une douloureuse question.

Cette part intacte dans l'assiette, à quel rythme valait-il mieux la consommer ? A toute allure ou en faisant durer le plaisir ? D'un côté, il était tentant de prolonger ce moment sans pareil. Qui pouvait dire dans combien de semaines, combien de mois, on reverrait un diplomate sur cette table ? D'un autre côté, un petit reste attendait dans le plat, et si Peter était prêt le premier...

Mais Figgy s'avisa soudain qu'il y avait Lavinia, aussi. Ce petit reste lui reviendrait, pardi, puisqu'elle était l'invitée. Il se consola en songeant que sans elle il n'y aurait pas eu de diplomate, et décida de savourer sa part en faisant durer le plaisir.

— Encore un peu de gâteau, Lavinia ? proposa Mme Figg. Je suis sûre que tu as encore une petite place.

— Oh, non merci, Tatie, répondit Lavinia. Il est exquis, mais je n'ai plus faim.

Figgy n'en crut pas ses oreilles. Voilà qui changeait tout ! Vite, il s'empressa d'engloutir cette portion si précieusement économisée.

— Tu es sûre ? insistait Mme Figg. Il en reste trois fois rien.

— Non, vraiment, Tatie. Je ne peux plus avaler une bouchée. Donne-le plutôt à Michael. A son âge, du dessert, on n'en a jamais trop.

Figgy faillit s'étrangler. A son âge ! Non mais, pour qui se prenait-elle ? A son âge ! Elle qui avait un an de plus, à peine ! On aurait cru entendre un adulte ou, pourquoi pas, un professeur. Elle avait du culot, tout de même.

— Oh, pour ça, tu n'as pas tort, approuva Mme Figg. S'il existait des concours de gourmandise, Michael décrocherait la médaille d'or à tous les coups.

Tout le monde rit — sauf Figgy. Et lorsque sa mère lui offrit le reste de diplomate, il décréta qu'il n'avait plus faim.

— Alors là, on aura tout vu ! s'écria Mme Figg.

— Moi, je veux bien le finir, proposa Peter dans un élan de générosité.

Après le repas, Mme Figg suggéra une activité tranquille, par exemple une partie de Scrabble ou de Monopoly. Lavinia avait sans doute eu une journée fatigante. Dès le lendemain, les garçons lui feraient visiter Kirkston, mais ce soir il valait mieux la laisser se reposer un peu.

Lorsque Figgy constata que même en revendant tous ses hôtels il resterait criblé de dettes, et de dettes envers Lavinia, il laissa là le Monopoly et déclara qu'il allait se coucher. Peter annonça qu'*on* l'attendait à la Maison des jeunes et monta se changer. C'était récent, ce besoin de se changer pour aller à la Maison des jeunes. Tout comme cette manie de s'inonder de lotion après-rasage (camouflée dans son placard) alors qu'il n'avait encore rien à raser.

Son aîné sur les talons, Figgy déroula d'un coup de pied le sac de couchage et, la mine renfrognée, commença à se déshabiller. Comme il enlevait son jean, le feuillet de papier hâtivement fourré dans sa poche reprit sa liberté et alla choir sur le plancher. Peter fondit dessus et s'en empara.

— Tiens, tiens ! s'écria-t-il en le brandissant bien haut. Un message secret ?

— Rends-moi ça ! jappa Figgy en bondissant pour reprendre son bien.

Mais le pantalon qui entravait ses chevilles ne facilitait pas la manœuvre.

— Un billet doux pour la charmante Lavinia, sans doute ? Laisse-moi y jeter un coup d'œil, histoire de vérifier ton orthographe.

— Rends-moi ça ! hurla Figgy, fou de rage, et il se jeta sur son frère aîné.

Peter le neutralisa d'une main et le coinça contre le lit. Dans cette posture ridicule, Figgy se retrouva sans défense.

— Et maintenant, voyons voir ! annonça Peter, dépliant le billet.

Un bref instant, il lit en silence. Puis il siffla entre ses dents.

— Oh, oh, intéressant ! Voici donc ce qu'est Lavinia en réalité ? Curieux, je n'aurais pas cru, à la voir. Ce n'est pas le genre de noms qu'on donne à sa petite amie, d'habitude.

— C'est pas ma petite amie !

— Et ça n'en prend pas le chemin, si elle découvre de quels noms tu la traites... Hé, mais ! Il est question de moi, aussi. « *Et Peter n'est qu'une vieille ordure.* » Ah, tiens ! Vraiment ?

— Oui, vraiment, haleta Figgy. Une vieille ordure puante et pourrie !

— Toi, mon petit bonhomme, je te

trouve un peu gonflé, ce soir. (Tout en parlant, Peter se penchait et arrachait une chaussette du pied de son frère.) Parce qu'à propos de vieilles ordures puantes, il me semble que ceci dépasse singulièrement les bornes. De quoi asphyxier un régiment, oui. Et dire que je vais devoir dormir dans ces émana-tions toxiques. (Il faisait danser la chaus-sette sous le nez de son jeune frère.) Tiens ! Respire-moi un peu ça. Délecte-toi. C'est ton parfum à toi.

Figgy se tordait comme un ver, mais Peter était trop lourd pour lui.

— Bien, reprit Peter, s'éventant noncha-lamment avec le billet délictueux. Et maintenant, qu'allons-nous faire de ce document ?

— Rends-le-moi !

— Sûrement pas. Désolé, mais il n'en est pas question. Qui sait ? Tu serais fichu de le jeter, et ce serait vraiment trop dommage : si tu supprimais ce morceau choisi, Maman n'aurait jamais le plaisir de le voir. Ni Papa. Ni la charmante Lavi-nia. Non, c'est impensable. Le mieux est que je le garde, moi, afin de veiller à ce

qu'il ne lui arrive rien. Et afin de veiller, bien sûr, à ce qu'il ne t'arrive rien *à toi*.

— Comment ça, à moi ?

— Oh, c'est simple : si les parents mettent la main sur ce document très spécial, j'aime autant ne pas être à ta place, c'est tout. Ou, plus exactement, à la place de ton aimable postérieur. Tu te souviens, la dernière fois ? Quand tu as « emprunté » le manteau de fourrure de Maman pour te déguiser en yéti ? Il me semble que la position assise t'a paru inconfortable durant quelque temps, sauf erreur.

Figgy se souvenait. Plutôt deux fois qu'une. Leur mère n'était pas une fervente partisane des châtiments corporels et n'en usait qu'avec parcimonie. Mais lorsqu'un délit, à ses yeux, était passible de la fessée, elle n'y allait pas de main morte. Or, le billet doux écrit là par Figgy relevait, sans l'ombre d'un doute, de la peine capitale.

— Naturellement, enchaînait Peter, en échange de ma grande bonté tu te sentiras obligé de me prouver ta reconnaissance.

— Mouais, et comment ? gronda Figgy.

— En me rendant de menus services.

— Comme quoi, par exemple ?

— Je ne sais pas, moi, on verra bien. Il y a des tas de petites choses qu'un garçon doué comme toi peut faire à la place de son grand frère ; simple affaire de bonne volonté. Tiens, par exemple, demain, je t'avoue, je n'ai pas spécialement envie de promener cette chère Lavinia à travers toute la ville. Alors, tu seras gentil, et au lieu de faire des histoires tu laisseras entendre à Maman, avec le sourire, que tu aimerais beaucoup mieux te charger tout seul de la visite guidée.

— Alors là ! s'offusqua Figgy, tu peux toujours te...

Peter agita le billet devant ses yeux.

— Je peux toujours quoi, on peut savoir ? Je peux toujours montrer ta prose à Maman, c'est ça ? A toi de choisir, vieux. Ou bien tu promènes ta cousine chérie, ou bien...

— C'est du chantage ! s'étrangla Figgy.

— Toi, tu regardes trop les feuilletons de télé, petit frère. Alors ? On veut bien être raisonnable ?

Et comme Figgy ne répondait pas,

Peter qui ne l'avait pas lâché s'assit sur lui sans façon et compléta le mouvement de petits bonds légers, jusqu'à ce que l'autre eût crié grâce.

Alors Peter se releva et Figgy, la rage au cœur, regarda son aîné enfiler son plus beau jean, refaire sa raie de côté, et glisser avec soin le feuillet compromettant dans la poche de son blouson.

A la porte, Peter se retourna.

— Au fait, dans ton message, tu disais que tu partais.

— Et alors ?

— Alors on se demande bien ce qui t'a pris de revenir !

3. De mal en pis

Le dimanche, chez les Figg, on faisait volontiers la grasse matinée. Rien n'obligeait personne à se lever aux aurores. Les réveille-matin de la maison avaient leur journée de repos. Chacun paressait au lit aussi longtemps que bon lui semblait.

Figgy était aussi doué que le restant de la famille pour tenir son oreiller au chaud jusqu'à une heure avancée, mais ce matin-là, par exception, il fut le premier à remuer. Il avait dû s'agiter ferme dans son sommeil, car il avait le crâne calé contre le pied du lit de Peter, posture des plus inconfortables. Résultat : il s'était vu, en rêve, au fond des oubliettes d'un donjon, et il mit quelque temps à saisir où il était en réalité. Puis la mémoire lui revint, et il songea au billet que Peter lui avait confisqué. Entre les mains de Peter, ce papier était une arme redoutable. Il fallait le lui reprendre.

Figgy commença par dresser l'oreille. Dans la maison, rien ne bougeait. La respiration de Peter était lente et régulière, comme celle de quelqu'un qui dort profondément. Sans bruit, Figgy s'extirpa de son cocon.

Où regarder d'abord ? Le jean et la veste de Peter gisaient sur le plancher où il les avait laissé choir en se couchant, la veille au soir. Tout doux, retenant son souffle, Figgy fit jouer la glissière de la poche de veste de son frère. Mais pourquoi ces damnés zips grinçaient-ils toujours autant ? Il plongea la main dans la poche, chercha le papier plié. Rien. Dans l'autre poche, rien non plus. Dans une troisième, un peigne. Alors Figgy fouilla le jean fraternel. Un mouchoir sale et trente pence.

Où Peter avait-il pu mettre ce satané bout de papier ? Quelque part dans ses étagères ? Sous le tapis ? Dans son sac de sport ?

Non. C'était presque sûrement dans la poche d'un autre vêtement. A pas de velours, Figgy traversa la pièce. Il ouvrit la porte du placard, doucement, tout doucement — bon sang ! ce qu'elle était mal huilée ! Il perquisitionnait, fébrile, en déployant des ruses de Sioux pour ne pas faire cliqueter les cintres, lorsque la voix de son frère s'éleva, tranquille.

— C'est peut-être ça que tu cherches ?

Figgy sursauta, horrifié.

Depuis le lit, en appui sur un coude, son frère agitait à bout de bras l'objet de ses vaines recherches.

— Ce n'est pas que tu te figurais que j'allais le laisser en évidence, hmm ? A la portée de tes sales petites mains de cha-pardeur ?

— Chapardeur, elle est bonne ! s'indigna Figgy. C'est toi qui me l'as barboté.

— Je suis bien content que tu la trouves bonne, petit frère. C'était le but recher-ché. Et maintenant, pour t'éviter de dire quelque chose qui m'obligerait à te cogner dessus, un bon conseil : file à la cuisine. Pour moi, ce sera un thé — avec deux sucres.

— Oui, eh bien t'as qu'à...

— Oh non, je n'ai pas qu'à. Nous avons passé un petit contrat, toi et moi, n'oublie pas. Un petit contrat en privé. Moi, je veille à ce que ce document ne tombe pas en de mauvaises mains. Et toi, en échange, tu me rends de menus services. Comme de me préparer une petite tasse de thé.

Figgy était vaincu. Il traîna les pieds vers la porte.

— Autre chose, l'arrêta son frère.

— Quoi encore ?

— Avant de descendre, jette donc un coup d'œil dans la chambre de notre charmante invitée, histoire de voir si elle ne prendrait pas un thé, elle aussi.

Figgy ouvrit la bouche, interloqué.

— Active la manœuvre, lui dit son frère. Et tâche de faire comme j'ai dit. Parce que, je te préviens, j'ai l'oreille fine. Ah ! un dernier détail.

— Ouais, quoi ?

— Tâche de le lui demander poliment.

La porte de la chambre de Figgy était entrouverte, comme toujours. Il y avait belle lurette qu'elle ne fermait plus. Réparer la porte de Figgy faisait partie des menus travaux que M. Figg se promettait d'effectuer « dès que possible » — depuis qu'ils avaient emménagé dans cette maison, sept ans plus tôt.

Figgy passa la tête dans l'entrebâillement. Lavinia dormait encore. A côté d'elle, sur l'oreiller, un ours en peluche rose regardait fixement le modèle réduit d'Airbus qui pendait au plafond. Les vêtements de Lavinia étaient pliés au carré sur la chaise, quatre ou cinq livres de poche s'alignaient sagement sur la commode près de la porte, en compagnie d'une photo de tante Jane et d'oncle Mick sur laquelle on lisait : « Pour notre petite fleur, de la part de Mom et Pop. »

Figgy regagna la chambre de Peter et lança tout bas :

— Elle dort encore.

— Dans ce cas, réveille-la.

— Vaut mieux pas. Et d'abord, comment ?

— Comment crois-tu qu'a fait le Prince charmant avec la Belle au bois dormant ?

— Je ne vois pas le ra... commença Figgy.

Puis il saisit l'allusion. Il s'éclipsa sans laisser son aîné s'appesantir là-dessus.

Lavinia dormait encore lorsque Figgy repassa la tête à la porte. Il se demandait ce qui valait mieux, tousser ou siffler tout bas, lorsqu'elle s'agita doucement et ouvrit les yeux.

— Ah, c'est toi, dit-elle. Salut. Quelle heure il est ?

— Sais pas.

— Je ne me réveille pas trop tard, si ? Je veux dire, tout le monde est déjà debout ?

— Non, non, il n'y a que moi de levé.

— Tu veux devenir grand et fort, c'est ça ?

Figgy ouvrit des yeux ronds. Encore une fois, où était le rapport ? Elle se moquait de lui, c'était clair.

— Tu sais bien, reprit Lavinia comme il ne répondait pas. « Levé aux aurores, seras grand et fort. » C'est ce qu'on dit.

— Et ce thé ? appelait Peter depuis la chambre voisine. Il arrive ?

— Qu'est-ce qu'il nous chante ? s'enquit Lavinia.

— Je descends faire du thé, bredouilla Figgy. Tu en veux aussi ?

Elle lui dédia son plus beau sourire.

— Volontiers. Avec deux sucres.

A la table du petit déjeuner, Mme Figg s'extasia :

— Je vais finir par croire aux miracles ! Michael debout le premier, et qui nous prépare le thé ! C'est ta présence, je crois, Lavinia. Elle doit avoir sur lui des effets bénéfiques. Quand on pense que tu viens juste d'arriver, on se demande ce qu'il en sera dans quelques jours !

— Incroyable, renchérit M. Figg, qui n'avait pas l'air d'y croire, en effet.

— Je ne crains pas de le répéter... reprit Mme Figg.

— Et ce ne sera jamais que la cinquième fois, coupa Peter. Mais ne te gêne pas pour moi, répète-le.

Sa mère fronça le sourcil.

— Toi, pas d'insolence, s'il te plaît. Ce n'est pas souvent que j'ai l'occasion de louer Michael. Mais, comme je dis toujours, il faut savoir reconnaître les mérites de chacun.

— Et si j'y étais pour quelque chose,

hein, dans la bonne action de Michael ? Qui te dit que je n'y suis pour rien ? Parions que Michael est prêt à reconnaître mes mérites.

Tout en parlant, Peter narguait son frère d'un sourire faussement complice et tapotait la poche de sa veste contenant le précieux billet, sous séquestre derrière la fermeture à glissière.

— Et maintenant, décida Mme Figg en commençant à débarrasser la table, vous devriez emmener Lavinia faire un petit tour, vous deux. Qu'elle découvre un peu notre belle ville... Moi, pendant ce temps-là, je vais préparer le déjeuner.

— Ah ! s'écria Peter, désolé. Pour moi, pas moyen. J'ai rendez-vous avec Nigs et Darren. Mais je suis sûr que Michael se fera un plaisir d'emmener Lavinia sans moi. Au parc, par exemple. Il devrait y faire bon, ce matin.

Figgy ne souffla pas mot. Il aurait dû s'en douter. Peter allait retrouver ses copains, comme presque tous les dimanches matin. Rien d'étonnant s'il ne tenait pas à être vu en compagnie de Lavinia.

Mme Figg se rangea à l'avis de son

aîné. Oui, par un matin pareil, il devait faire bon au parc. C'était presque comme la campagne. Et il y avait des balançoires, des portiques avec des agrès — Lavinia allait s'y plaire, sûrement. Juste un détail : il valait mieux porter une tenue qui ne craignait rien. Lavinia avait sans doute apporté de vieux vêtements, quelque chose de pas salissant ?

— Oh ! mais je les ai sur moi, mes vieux vêtements, Tatie, dit Lavinia en jetant un coup d'œil à son jean impeccable et à son sweat-shirt d'un blanc de neige. De toute manière, si je me salis, je n'en aurai pas pour cinq minutes à laver tout ça, tu sais.

— Ne va pas me dire que tu fais ta lessive toi-même ! s'émerveilla Mme Figg.

— Bien sûr que si. Souvent. La lessive, ce genre de petites choses. Maman est d'avis qu'un enfant doit apprendre à se débrouiller seul.

Mme Figg poussa un soupir.

— Le ciel aurait dû m'envoyer des filles. Se débrouiller seul ! Michael ne songe même pas à se laver les oreilles, alors, tu penses, son linge ! Et tu ne vaux pas mieux, Peter.

Le soleil du printemps faisait reluire la rue mais Figgy restait d'humeur sombre. Il n'ouvrait la bouche, à regret, que pour répondre entre ses dents aux questions de Lavinia. Elle penserait de lui ce qu'elle voudrait : qu'il était timide, débile, mal luné, il s'en moquait. N'importe comment, tout était sa faute, sa faute à elle.

Situé à flanc de coteau au bord de la rivière, le parc n'offrait que des pelouses en pente – l'idéal pour la luge, par temps de neige, mais nettement moins pratique pour jouer au ballon à la belle saison. Encore qu'au dire de certains s'entraîner sur plan incliné n'eût pas que des inconvénients. Quand on maîtrisait le ballon sur les pentes du parc de Kirkston, sur terrain plat on se révélait un excellent footballeur.

Ce dimanche matin, justement, les pelouses étaient prises d'assaut par les futurs Lineker, Maradona, Papin et autres, occupés à marquer des buts

entre divers pulls et blousons stratégi-
quement répartis sur les pelouses.

A l'entrée du parc, Figgy s'arrêta pour
un tour d'horizon. Ayant repéré le
groupe qu'il cherchait, il ravala un soupir, grogna un vague « Par ici ! » à l'intention de Lavinia et s'avança sur le
gazon.

— Buuut ! hurlait à l'avance un rouquin
à lunettes tandis qu'un jeune matamore
décochait un coup de pied au ballon.

Le gardien de but plongea de biais
d'un geste théâtral. Il manqua le ballon
de deux mètres mais resta étendu au sol,
attendant les acclamations.

— But ! triompha M. Muscle-en-herbe,
les poings au-dessus de la tête.

— But ! délira le rouquin à lunettes.

— Ouais ! But ! But ! exultait un troisième, se jetant sur son coéquipier pour
une accolade « comme à la télé ».

— Même pas vrai ! contesta le goal, toujours affalé dans l'herbe. Même pas
vrai : il était en dehors.

— Alors là, sûrement pas ! riposta l'auteur du but présumé.

— Désolé. Il était en dehors.

— Dis tout de suite que je suis un menteur !

— Non, hésita le goal, ébranlé. Non, mais il était en dehors.

L'autre se tourna vers son équipe.

— A votre avis, les gars : il est rentré, ou pas ?

— Il est rentré ! renifla un garçon au nez humide, connu de tous — sauf de sa famille — sous le nom de Sniff. Il est arrivé comme ça (il mimait avec sa main), il a tourné comme ça comme ça comme ça, et il est rentré.

D'après la trajectoire décrite, le ballon avait dû être radio-guidé.

— Jamais de la vie ! protesta le gardien de but en se levant prestement. Il est passé comme ça en dehors.

De la main, il mimait un ballon frôlant un poteau de but imaginaire. Il se tourna vers les autres pour les prendre à témoin et c'est alors qu'il avisa Figgy.

— Toi qui étais là, Figgy, tu l'as bien vu ?

— Ouais.

— Hein qu'il était en dehors ?

— Non.

— Là ! triompha Sniff. Qu'est-ce qu'on te disait ?

— Oh, toi, Lynx, ça va, hein ! s'enroua le gardien de but.

Il leur tourna le dos, se laissa choir dans l'herbe et entreprit de se gratter avec art et méthode. C'était une habitude chez lui. Dès la moindre contrariété, ou dès qu'il s'ennuyait un peu, il se grattait de la tête aux pieds. Gracieuse manie qui lui avait valu son surnom de Gibbon (le jour où la classe avait visité le zoo, le singe du même nom devait avoir des puces), sans parler de plusieurs visites à l'infirmerie de l'école, pour s'y faire inspecter sur toutes les coutures. Mais l'infirmière avait conclu qu'elle ne voyait rien de suspect ; c'était nerveux, sûrement. Nerveux ou pas, lorsque ses démangeaisons le prenaient, Gibbon grattait. Et il grattait de bon cœur.

— T'es pas en avance, dis donc, reprocha le jeune malabar à Figgy. C'est qui, cette fille ?

Hormis Gibbon, trop occupé à s'étriller l'omoplate gauche, toute la bande avait les yeux sur Lavinia. Qui donc était cette fille aux côtés de Figgy ? Même M. Muscle (Rambo pour les intimes) n'en était pas encore à sortir avec des filles. Du coup, un terrible soupçon l'assaillit : et si ce moustique de Figgy l'avait battu de vitesse ? L'idée était insoutenable. Rambo tenait absolument à être le premier en tout, le meilleur, et il choisissait ses amis de manière à être certain de les battre. C'était lui le plus grand, le plus âgé, le plus fort ; c'était lui le meilleur au foot, lui qui courait le plus vite. C'était lui qui avait le plus d'argent de poche, le vélo le plus beau, les baskets les plus chics ; si on le provoquait, c'était lui qui cognait le plus vite, le plus dur. Et même si son répertoire de gros mots n'était pas vraiment plus riche que celui des autres, il en usait plus souvent à voix haute. Parfois il chipait une cigarette à son père et la fumait devant les copains, carrant les épaules, sans laisser personne deviner que le tabac le rendait malade et qu'il aimait mieux les caramels.

Hélas, si Figgy l'avait coiffé au poteau, si cette fille était bel et bien sa petite amie, c'était un coup dur pour le standing de Rambo, une atteinte à son statut de premier partout. Si encore elle avait été moche – maigriote, avec des lunettes et des boutons sur le nez ! Mais non, même pas. Cette fille était tout ce qu'il y avait de plus présentable...

Il ne restait qu'une solution : rendre loufoque aux yeux des autres l'idée de Figgy en compagnie d'une conquête. Rambo réitéra sa question avec un rire de démarreur fatigué :

— Hein, c'est qui ? Ta petite amie ?

A ces mots de « petite amie », Sniff et Lynx rentrèrent le cou dans les épaules et pouffèrent avec application.

— Bon, alors ? s'impatienta Rambo. C'est ta petite amie ou quoi ?

— Pas fou, non ? protesta Figgy. C'est ma cousine.

— Ta cousine ! s'esclaffa Rambo d'une voix de fausset, en se prenant le ventre à deux mains.

Visiblement, ce terme de « cousine » était d'un comique achevé. Il feignait d'en tituber sous le choc. A croire que Figgy venait d'avouer que Lavinia était son brontosaure apprivoisé.

Pour ne pas être en reste, les autres s'en roulèrent par terre.

— Et elle s'appelle comment ? hoqueta Rambo.

Lavinia, qui observait la scène avec le détachement du scientifique chargé d'étudier le comportement d'une bande de macaques, répondit d'un ton tranquille :

— Elle s'appelle Lavinia. Et toi, tu t'appelles comment ? On peut savoir ?

Rambo laissa de côté la question. Ce surnom glorieux, dont il était si fier, risquait de ne pas produire l'effet voulu sur une fille manifestement difficile à impressionner. Mieux valait exercer son humour raffiné sur un autre détail de bon goût :

— Lav ? Lav ? Eh, les gars ! Vous entendez ça, un peu ? Elle s'appelle Lav* !

— LavINIA, rectifia-t-elle, très calme. Ce qui ne me dit pas ton nom.

D'un geste vague, Rambo désigna Figgy.

— Demande-le à ton cousin. Il le sait, lui, comment je m'appelle.

Grave erreur de tactique. En toute autre occasion, Figgy aurait joué le jeu et donné le valeureux surnom. Mais

* Lav : abréviation familière pour *lavatories*, les W.-C.

Rambo l'avait offensé ; il avait insulté sa famille. Aussi, pris d'une inspiration, au lieu de répondre sagement : « Il s'appelle Rambo », Figgy choisit-il de révéler plutôt le prénom sous lequel Rambo était inscrit sur les registres de l'école, celui qu'utilisaient encore, à la maison, ses parents et ses oncles et tantes.

— Archibald, répondit Figgy d'un ton suave. Il s'appelle Archibald MacIntosh.

Gibbon, Sniff et Lynx savaient depuis longtemps que Rambo se prénommait Archibald. Ce nom de baptême au parfum d'antimite leur semblait toujours aussi drôle, et ils se retinrent de rire à grand-peine. « Lavinia » rendait un son bizarre, mais c'était un nom de fille, alors qu'« Archibald »... Archibald faisait atrocement gnian-gnian.

Certains se demandaient parfois comment un gamin de Kirkston, normalement constitué, s'était retrouvé affublé de ce prénom d'ancêtre. La réponse était, justement, que Rambo avait un grand-oncle quelque part dans un manoir en Ecosse, et que ses parents avaient espéré, en nommant ainsi leur aîné, s'attirer la bienveillance de cet aïeul fortuné. Le nouveau-né n'avait pas été consulté (les nourrissons le sont rarement) et, lorsqu'il avait été en âge de protester, six ou sept ans après les faits, il était déjà bien trop tard pour réparer le dommage.

Cela dit, en prononçant ce nom à voix haute, Figgy prenait un risque énorme. Le sang avait déjà coulé dans la cour de récréation après qu'un imprudent eut cru bon de lancer ce digne prénom à la tête de son détenteur.

Mieux : Figgy risquait bien plus qu'un simple passage à tabac. Car Rambo, Gibbon, Sniff et Lynx étaient plus qu'une bande de copains : ils formaient un gang, un vrai. Le Gang. Et Figgy, depuis de longues semaines, mourait d'envie d'en faire partie.

En faire partie, pourquoi au juste ? Figgy n'aurait pas su le dire. Le Gang n'exerçait pas d'activité particulière ; il n'avait pas de mot de passe, pas de nom ronflant ni de fière devise. Non, tout l'intérêt du Gang, c'était d'en faire partie. Dame, on n'y entrait pas comme dans un moulin. On ne pouvait en faire partie

que si les autres, tous les autres, le vou-
laient bien.

A vrai dire, Figgy était sans doute le
seul gamin de tout Kirkston à vouloir
faire partie du Gang. Depuis quelque
temps déjà, le quatuor l'acceptait pour
des parties de foot au parc ou dans la
cour de récréation. Mais il n'en était pas
pour autant membre à part entière.
D'ailleurs, jamais encore il n'avait mis
les pieds dans le repaire secret du Gang.
Il en rêvait tous les soirs.

La semaine précédente, Figgy avait
pris Lynx à part et lui avait demandé :
— Tu crois que Rambo voudrait bien de
moi dans le Gang ?
— Chais pas, avait répondu Lynx. Je lui
demanderai, si tu veux. On se réunira
pour en discuter. Mais je te préviens, on
prend pas n'importe qui.

Figgy n'en savait rien encore, mais la
réunion avait eu lieu. Elle avait été longue et houleuse.
— Trouvez pas qu'il fait un peu snob ?
avait insinué Sniff. Il est toujours propre
et poli et tout.
— Pas d'accord, avait dit Gibbon. Il a

toujours un mouchoir dans sa poche, c'est vrai, mais y a pas que lui.

— Au foot, il est pas génial, avait fait remarquer Rambo.

— Non, mais il en veut, avait dit Lynx. Avec nous, il ferait des progrès.

Pour finir, ils avaient voté l'admission de Figgy au sein du Gang, à trois voix contre une – celle de Sniff, qui persistait à trouver que Figgy faisait trop de chichis. Figgy aurait à subir une épreuve d'entrée, bien sûr. C'était obligatoire. On devait le lui annoncer ce dimanche matin, justement. Son audace mal à propos remettait tout en question.

L'espace d'une seconde, Rambo-Archibald fut trop ébahi pour réagir. Alors Lavinia, qui n'avait pas souri, s'informa poliment :

— Et comment on t'appelle, normalement ?

L'intéressé faucha une pâquerette d'un coup de pied.

— Rambo.

— Ah ! dit Lavinia. C'est toi qui t'es donné ce nom, je parie.

Il haussa les épaules, prit le ballon et

se mit à dribbler autour de Gibbon qui se grattait toujours, assis par terre.

— Allez, les gars ! C'est reparti !

Sniff et Lynx lui emboîtèrent le pas au galop. Figgy restait planté à côté de Lavinia, ne sachant trop s'il était censé jouer ou non. Mais le ballon vint rouler à ses pieds et il le renvoya vers Rambo.

— Merci. Bien vu ! haleta Rambo, grand prince.

Et à nouveau il fonça vers les buts et shoota comme un forcené en direction de Gibbon. Le ballon fusa en chandelle comme sous l'effet d'un drop de rugby. Prétendre qu'il y avait but ne vint à l'esprit de personne, mais la puissance du tir et la beauté de la trajectoire valurent à l'auteur de ce coup assez d'acclamations pour le combler de joie.

— Bon sang, commenta Sniff. J'ai bien cru qu'il allait se mettre en orbite.

— Encore heureux que Gibbon n'ait pas eu à le bloquer. Il aurait été pulvérisé.

Gibbon alla ramasser le ballon et ajouta son grain de sel :

— La vache ! il est brûlant. (Il le faisait passer d'une main dans l'autre.) Un boulet rouge !

La partie se poursuivit à grand bruit, acharnée, sans temps morts, modérément conforme aux règles en vigueur. Lavinia délaissée l'observait depuis la touche.

Pour finir, essoufflés, ils se jetèrent dans l'herbe pour reprendre haleine. Allongé sur le ventre, un brin d'herbe entre les dents, Rambo semblait presque abordable. Figgy hésita une minute et se jeta à l'eau. C'était le moment ou jamais.

— Rambo...

— Ouais ?

— Lynx t'a dit que j'aimerais faire partie du Gang ?

— Ouaip.

— Alors... je peux ?

Rambo se releva sur un coude et, avec une précision d'expert, cracha sur une pâquerette.

— Dis... je peux ?

Rambo renifla avec élégance et se gratta l'oreille, pensif.

— Alleeez, Rambo... S'il te plaît !

— Ce qu'il y a, tu vois, c'est qu'on te trouve un peu jeune.

— Je suis dans la classe juste avant toi. J'aurai onze ans dans deux mois.

— Je disais donc, tu es un peu jeune et, sans vouloir te vexer, tu fais un peu demi-portion. En cas de bigorne, je crois pas que tu serais bon à grand-chose.

— Je le serais au moins autant que Lynx ! Il peut jamais se battre, à cause de ses lunettes.

— Même pas vrai ! protesta Lynx.

— Si, c'est vrai, répliqua Rambo. Alors boucle-la.

— Tu sais très bien que ma mère veut pas que je les enlève.

— Boucle-la ! répéta Rambo.

Figgy revint à la charge :

— Alors, je peux, dis ?

— Bon, bon. Admettons.

— Oh ! merci.

— Attends. Tu as encore le test à passer.

— Ah !

— Ce soir, juste après le thé, faut que tu ailles retrouver Lynx.

— Où ça ?

— Au coin de la rue Wellington. Il t'emmènera à notre local secret.

— Pourquoi moi ? protesta Lynx.

— Parce que je le dis, trancha Rambo.

Lavinia commençait à trouver le temps long. Elle se rapprocha du groupe et, sans y être invitée, elle effleura le ballon de la pointe de sa sandale.

— Permettez que je l'emprunte une minute ?

— Fais comme chez toi, répondit Rambo avec toute l'amabilité d'un chien de garde. C'est un ballon de foot, je te signale. Ça se manœuvre au pied.

Ils la surveillaient du coin de l'œil avec une nonchalance étudiée, curieux de voir ce qu'une fille — une fille du nom de Lavinia — pouvait faire d'un ballon de foot. Ils étaient près de s'esclaffer, mais très vite leur curiosité se mua en surprise.

Ce damné ballon semblait lui obéir au doigt et à l'œil ! Elle le menait ici, puis là, ils avaient l'air de danser ensemble. Tantôt de l'intérieur du pied, tantôt de l'extérieur, elle le dirigeait adroitement, lui imposait un cap, en changeait, feintait un adversaire invisible. Puis elle joua à interdire à ce ballon de toucher le sol, en le faisant rebondir tour à tour sur ses pieds, ses tibias, ses genoux.

Enfin, pour parfaire la démonstration, elle le propulsa à la verticale et le rattrapa en beauté entre l'épaule et la tête.

Ils la regardaient faire sans mot dire. Lorsqu'elle en eut terminé, ils consultèrent leur chef du regard.

— Mouais, dit-il en se levant. Joli, peut-être, mais on voit mal ce que ça donnerait en vrai, dans un match. Au foot, il faut savoir shooter. Pour de bon. Comme ça, conclut-il en décochant un coup de pied forcené au ballon qui venait de s'immobiliser non loin de lui.

Le ballon fusa en direction de Lavinia. Sans un battement de cils, elle le bloqua à deux mains, le reposa au sol et shoota dedans de toutes ses forces, en un superbe retour à l'envoyeur. Rambo, qui n'avait pas prévu la riposte, le reçut en plein estomac. Le souffle coupé, il tomba à genoux.

Il y eut un silence gêné.

— Viens, Michael, décida Lavinia. C'est presque l'heure du déjeuner. Ne faisons pas attendre Tatie.

Là-dessus, elle tourna les talons et s'éloigna à travers la pelouse.

— *Ne faisons pas attendre Tatie,* singea

Sniff. Vous direz ce que vous voudrez. Si vous n'appelez pas ça snob, j'aimerais savoir ce qu'il vous faut ! Elle est de la haute ou quoi ?

— Oh, toi, ça va ! lui lança Figgy.

— Fig, mon vieux, tu ferais mieux de filer, conseilla Gibbon. Ou tu vas mettre ta cousine en boule, et j'ai dans l'idée que ça doit pas être triste, quand elle est à cran.

— Euh, Rambo, hasarda Figgy. Désolé. Je peux quand même venir, ce soir, dis ? Pour l'admission ? S'il te plaît...

Rambo suivait des yeux Lavinia qui gagnait l'allée. Quatre ou cinq ans plus tard, bien des regards masculins escorteraient ainsi Lavinia. Mais ils brilleraient d'un autre feu que celui de Rambo ce dimanche-là.

— Ouais, bon, tu peux quand même venir. Mais tâche d'être à l'heure, hein, ou sinon...

4. Donne-lui
une bonne leçon !

Figgy rattrapa Lavinia et ajusta son pas au sien. Elle ne soufflait mot et, pour finir, ce fut Figgy qui rompit le silence.

— Où t'as appris tous ces trucs ?

— Quels trucs ?

— Avec le ballon. Quand tu le fais voltiger autour de toi et tout ça.

— Ah, *ça* ?

— Oui.

— C'est des exercices qu'on nous fait faire en sport, à mon école. Nos profs disent que les filles ont des pieds comme les garçons, et qu'il n'y a donc pas de raison qu'elles n'apprennent pas à s'en servir.

Si même les filles, à son école, savaient si bien manier un ballon, de quoi devaient être capables les garçons ? Figgy en restait songeur. Il aurait donné cher pour en apprendre autant. Mais peut-être Lavinia ne refuserait-elle pas de lui donner une leçon ou deux ?... Mesurant soudain l'énormité de ce vœu, Figgy se mordit les lèvres. Demander à cette peste de lui apprendre à manier un ballon ? Et quoi encore ? Plutôt mourir !

Lavinia envoya voltiger un caillou en travers de son chemin.

— Au fait, dit-elle tout à coup. Pourquoi est-ce que tu tiens à faire partie de leur bande ?

Figgy grimaça.

— Comment tu le sais ?

— J'ai des oreilles, au cas où tu n'aurais pas remarqué.

— De foutues grandes oreilles, ouais !

— Maman dit que les gros mots sont la preuve d'un manque de vocabulaire.

— Gros mots ? Qui dit des gros mots ? « Foutu » n'est pas un gros mot, eh, faut pas exagérer !

— Tout est dans l'intention. Tu l'as dit comme un gros mot.

— M... alors !

Lavinia fit mine de n'avoir rien entendu et enchaîna :

— Et tu veux vraiment devenir l'ami de ce Rambo ? Pourquoi ?

Figgy ne répondit pas. D'abord, ça ne la regardait pas. Et puis... et puis il n'était pas certain de la réponse.

— Il n'a pas l'air très gentil, je trouve, reprit Lavinia.

Justement, songeait Figgy, attentif à longer une fissure du trottoir. La réponse était peut-être là.

Non, Rambo n'était pas gentil. Ce qu'il disait, ce qu'il faisait n'avait jamais rien de gentil. Mais c'était tellement lassant, à la longue, d'être gentil ! Surtout de l'être autant qu'on l'exigeait de Figgy. A la maison, il fallait l'être en permanence. Il lui en venait parfois des envies de se montrer détestable.

— En plus, poursuivait Lavinia, c'est une grosse brute. De ceux qui ne brillent en rien, et qui aiment bien avoir sous la main des petits comme toi, pour les mener à la baguette.

Petits comme toi !

Il cessa de l'écouter. Il cherchait désespérément comment lui rendre la monnaie de sa pièce et lui faire mal, très mal. Faute de mieux, il se rabattit sur la trouvaille de Rambo :

— Pas tes oignons, *Lav*.

Elle ne répondit pas. Elle n'avait même pas l'air froissée. Il guetta sa réaction, mais apparemment elle s'en moquait.

Oui, elle était pire que la peste.

Après la vaisselle, Mme Figg s'installa dans une chaise longue sous le poirier avec un gros livre, et Lavinia se vautra sur la pelouse non loin d'elle, le nez dans un livre elle aussi. M. Figg somnolait au salon sous le journal du dimanche, Peter était chez un copain, en train de faire de la musculation. Figgy se retira discrètement dans son pommier attitré, au fond du jardin, avec une brassée d'illustrés maintes fois lus et relus. L'après-midi s'écoula ainsi, nonchalante, et Figgy luttait pour garder les yeux ouverts, lorsqu'un cri suraigu faillit le faire dégringoler de son perchoir.

Lavinia. C'était Lavinia, cette idiote.

Il tendit l'oreille.

— Je suis désolée, Tatie, disait sa cousine. Mais je t'assure, c'est vrai : je ne peux pas. Je ne peux absolument pas y toucher.

— Ce n'est qu'une photo, dis-toi bien, assurait Mme Figg.

— Je sais, mais c'est plus fort que moi. C'est complètement idiot, je ne peux pas y toucher.

Toucher à quoi ? se demandait Figgy. La curiosité l'emporta.

— Qu'est-ce qui se passe ? s'informa-t-il à voix haute, renonçant à la clandestinité.

— Rien de grave, répondit sa mère, évasive. Je rentre préparer le thé. Tâche d'avoir les mains propres en temps utile.

Figgy continua de prêter l'oreille, mais la tante et la nièce rassemblaient leurs affaires pour regagner la maison, et il ne put capter que des bribes d'un dialogue banal. Il en regrettait presque que le pommier fût si bien isolé du reste du monde. Il avait manqué quelque chose ; il aurait donné cher pour savoir ce que Lavinia redoutait si fort de toucher.

Le hasard, bon prince, lui fournit la

réponse. Il se lavait les mains avant de passer à table lorsqu'il entendit sa mère confier à son père, dans la pièce voisine :

— Tu ne vas pas me croire, mais elle a une telle horreur des araignées qu'elle n'a pas pu se résoudre à toucher à ce livre que j'ai acheté l'autre jour, tu sais, celui qui a une photo de mygale en couverture.

Tiens, tiens ! jubila Figgy. Une fissure dans la cuirasse. Cette cousine sans reproche n'était donc pas sans peur. Horreur des araignées ! Avait-on idée ?

A la réflexion, Figgy lui-même ne tenait pas spécialement à tripoter ces bestioles. Mais avoir peur d'une araignée en photo ! Il fallait être complètement débile.

Si Figgy avait bivouaqué dans son pommier tout l'après-midi, ce n'était pas seulement parce qu'il s'y plaisait. C'était aussi pour se faire oublier. Surtout, surtout ne pas se laisser réquisitionner pour tenir compagnie à Lavinia ! Il avait rendez-vous avec le Gang, ce soir ; le rendez-vous de sa vie ! A l'heure du thé, le danger n'étant pas écarté, il se fit tout petit à table dans l'espoir d'échapper au pire. Il força même un peu la dose, et se fit remarquer, au contraire.

— On ne t'entend pas, observa sa mère. Tu ne couves pas quelque chose, dis-moi ?

— La maladie d'amour, glissa Peter très bas, juste assez fort pour être entendu de l'intéressé, sur sa droite.

— Comment, Peter ? pria leur mère. Je n'ai pas compris ce que tu as dit.

— Oh, rien.

— Rien, mais voilà ton frère plus rouge que la betterave dans mon assiette. Laisse-le un peu tranquille, veux-tu ? S'il nous couve quelque chose, ce n'est pas le moment de le tourmenter.

— Mais puisque je n'ai rien dit ! s'entêta Peter.

— Et moi je dis que ça suffit, prévint sa mère sans hausser le ton.

Un silence gêné tomba sur la tablée. La querelle familiale est un sport réservé à l'intimité. Lavinia était encore trop étrangère à la maison pour être admise à ce genre de tournoi. Mieux valait tuer dans l'œuf la bisbille sans la laisser dégénérer en esclandre. De son côté, avec un tact digne d'éloges, Lavinia s'appliquait à débiter sa tranche de cake en bâtonnets réguliers, et feignait poliment de n'avoir rien entendu.

Peter vida sa tasse de thé sans un mot, et déclara en pliant sa serviette qu'il retournait chez son copain, et qu'ils iraient tous deux terminer la soirée à la Maison des jeunes.

Mme Figg se tourna vers Lavinia.

— Et toi, qu'aimerais-tu faire, ce soir ? Tu as un souhait particulier ? Il ne faut pas hésiter à nous le dire, tu sais.

— Oui, répondit Lavinia — et Figgy retint son souffle. A six heures et demie, ma chorale passe à la télé dans l'émission « Chœurs et cantiques ». On nous a enregistrés il y a trois semaines, et j'aimerais bien voir ce que ça donne, si c'était possible.

— Mais bien sûr ! s'écria sa tante. C'est tout naturel, tu veux voir sur le petit écran toutes ces têtes connues. Qui sait ? ils t'auront peut-être même prise en gros plan. Ils prennent souvent des enfants, il me semble, non ? Tu n'as pas remarqué de caméras dans ta direction ? Ce serait la meilleure, vraiment : quelqu'un de la famille à la télévision ! Je vais regarder l'émission avec toi, tu peux me croire. Rien ne pourra m'en arracher — vous êtes prévenus, vous autres ! ajouta-t-elle à l'intention de « ses hommes ».

Tout émoustillée à l'idée de voir (peut-être) sa nièce sur le petit écran, elle en avait un peu oublié Figgy. Lorsqu'il annonça — oh ! très discrètement — qu'il allait retrouver des amis, elle fut légèrement prise de court.

— Tu ne veux donc pas regarder ta cousine à la télé ? Bon, enfin, c'est d'accord, mais tâche d'être de retour avant la nuit. Vacances ou pas, je ne veux pas te savoir dans les rues à des heures indues.

A l'angle de la rue Wellington, Figgy retrouva Lynx qui l'attendait.
— B'alors, qu'est-ce que tu fabriquais ?
Le soleil du soir se reflétait dans ses lunettes et lui donnait un petit air d'extraterrestre.
— Je suis venu dès que j'ai pu, se défendit Figgy.
— Peut-être, grogna Lynx, mais moi ça fait une heure que j'attends. (Il en voulait encore à Figgy d'avoir mis en doute ses prouesses au combat.) Et tu ferais

bien de te magner, parce que la patience et Rambo, ça fait deux. Et je te préviens : là où on va, faudra le dire à personne, compris ?

— Je ne dirai rien.

— T'as intérêt.

Lynx ouvrit la voie en direction de la rivière qui longeait le vieux Kirkston.

Jadis des péniches avaient glissé sur ces eaux, lourdement chargées de marchandises, jadis les grandes bâtisses en ruine qui se miraient dans l'eau avaient été des entrepôts, des manufactures prospères. A présent, elles n'abritaient plus que des clochards — et des écoliers en quête de cachettes. Figgy suivit son guide sur une passerelle métallique qui enjambait le cours d'eau. Le long de la rive opposée, sur le coteau en pente douce, s'alignaient des jardins potagers qu'on appelait « les Lopins ». Des rangs de carottes un peu fanées y voisinaient avec des poireaux échevelés et des laitues montées en graine, le tout cultivé par les retraités de la ville, à qui la municipalité louait le terrain pour une bouchée de pain. L'endroit sentait le chou, la chaux, les cendres refroidies. Au bout de chaque parcelle, taillée en longueur afin d'avoir accès à l'eau, se dressait une cabane où le locataire du lieu rangeait ses outils, ses arrosoirs, ses paquets de ceci, ses bidons de cela, sans oublier — accessoire vital — un pliant ou un vieux fauteuil sur lequel s'accorder une pause, et fumer une pipe en paix ou boire sa thermos de thé chaud.

A cette heure tardive, un dimanche, les Lopins étaient déserts, et les garçons ne se soucièrent donc pas du panneau planté à l'entrée qui en interdisait l'accès à « toute personne non autorisée ».

— N'importe comment, assura Lynx, mon grand-père cultive un de ces lopins.

— Ah ? dit Figgy. Lequel ?

— Par là-bas. Maman dit qu'il passe la moitié du temps à faire la sieste dans sa cabane. Ils sont en voyage, Mamie et lui. Mon père a la clé, c'est lui qui vient arroser les trucs.

Figgy le suivit, docile, le long du labyrinthe de sentiers, jusqu'au fond de la dernière parcelle, bordée par un fossé que surmontait une haie clairsemée, vestige d'un alignement d'ormes défunts. Là, devant une brèche de la haie,

Lynx se figea et fit signe à Figgy de se taire. Il jeta un regard circulaire et plongea au creux du fossé.

Figgy l'imita sans un mot.

Le passage était fréquenté : les plantes écrasées — grande berce et reine des prés — le signalaient clairement. Ils approchaient de la cachette, Figgy en aurait parié ses baskets. Pliés en deux, ils avançaient au fond du fossé. Un merle affolé s'envola devant eux, lançant à tous les vents son « tchik-tchik-tchik » d'alarme.

Enfin, Lynx s'arrêta. Au-dessus d'eux, sur le talus, se dressait la silhouette sombre d'une énorme souche. La tempête qui avait terrassé ce chêne plusieurs fois centenaire ne l'avait pas déraciné mais s'était contentée de briser le tronc, à moitié creux sans doute, à un bon mètre du sol, ne laissant qu'un vilain chicot pareil à un donjon en ruine.

Lynx empoigna une racine, il se cala le pied dans une anfractuosité familière, se hissa jusqu'au rebord de la souche, bascula par-dessus et disparut. Figgy peina derrière lui et, lorsqu'il put enfin voir l'intérieur de la forteresse, elle se révéla nettement plus spacieuse qu'il ne s'y était attendu. Le vieux bois pourrissant avait été raclé jusqu'à l'écorce, le fond soigneusement évidé. Au creux de cet habitacle, le Gang au complet était recroquevillé, Lynx s'étant déjà casé face à Rambo, entre Gibbon et Sniff.

— Bon alors, maugréa Rambo. Tu entres ou quoi ? Reste pas là, crétin, tout le monde peut te voir !

Gauchement, Figgy fit passer une jambe par-dessus bord, et se retrouva à cheval sur l'écorce déchiquetée. Rassemblant son courage, il fit passer l'autre jambe à l'intérieur, prêt à se laisser glisser. C'est alors qu'il sentit que le fond de son jean s'était pris à une arête du bois.

Il chuchota :

— Me suis accroché quelque part...

Rambo n'en avait cure.

— Ouais, eh ben, décroche ton quelque part et grouille-toi.

Alors Figgy poussa des deux mains. Il y eut un craquement sinistre et il fut aspiré vers le bas. Il atterrit en petit tas sur les autres. Un concert de jurons salua la performance.

Lorsque enfin chacun eut démêlé bras et jambes de ceux du voisin, Figgy se préoccupa de l'état de son pantalon.

En dépit de ses contorsions, il ne parvenait pas à évaluer les dégâts, mais la palpation ne laissait aucun doute : le fond de·son pantalon était bel et bien déchiré, et sur plusieurs centimètres.

Le constat de la catastrophe lui arracha un gémissement.

— Ma mère va piquer une de ces crises ! Dites, vous qui pouvez regarder : c'est grave ?

Loin de compatir, ils rugirent de rire.

— Dis donc, glapit Rambo, t'en as des jolis dessous ! C'est moi qui aimerais avoir comme ça des fusées spatiales sur les fesses !

— Ouais, hoqueta Gibbon. Rouge et jaune, en plus. Avec ça, tu vas te payer un de ces succès !

— Comment faire pour rentrer chez moi ? s'affolait Figgy, des larmes dans la voix. Je ne vais pas me balader dans les rues avec un jean dans cet état !

— Enlève-le, alors, suggéra Gibbon.

— Tu te crois drôle ?

— Irrésistible.

Ce n'est pas très charitable, mais avouons que les misères d'autrui nous semblent parfois follement drôles. Les garçons en oubliaient d'en vouloir à Figgy pour son atterrissage brutal. Un pantalon déchiré, dans cet antre sans télévision, c'était mieux qu'un numéro de clown. Les quolibets fusaient dru. Soudain Gibbon déclara, frappé d'un éclair de génie :

— J'ai une idée. Je crois que j'ai un vieux badge dans une poche. Avec ça, on devrait pouvoir te mettre une rustine... (Tout en parlant, il repêchait l'objet.) Voilà. Tourne-toi un peu, que je voie ce qu'on peut faire.

Il brandissait un gros badge rond qui proclamait « Buvons un coup ». Il en défit le fermoir, et Figgy lorgna sur l'épingle. Cet accessoire pointu ne lui disait rien qui vaille.

— Bon, tu te tournes ou quoi ?

Figgy aux abois présenta sa face arrière, et Gibbon se mit en devoir de refermer l'accroc. L'opération était délicate. Figgy se fit piquer six fois dans la manœuvre — dont une fois au moins de façon purement accidentelle.

L'incident leur avait fait perdre de vue l'objet de la séance. Le comique de la situation finit pourtant par s'épuiser. Toutes les plaisanteries ayant été faites (et plutôt deux fois qu'une), les langues se turent et les regards se tournèrent vers Rambo. Il était temps de passer aux choses sérieuses : l'admission d'un nouveau membre au sein du Gang.

— Bien, déclara Rambo d'un ton indolent. (Il s'efforçait d'imiter Marlon Brando dans *Le Parrain*, vu l'avant-veille à la télé, mais la ressemblance n'était que lointaine.) Tu dis que tu veux faire partie du Gang. A supposer qu'on veuille de toi, est-ce que tu es sûr de le vouloir ? Sûr et certain ?

Figgy confirma avec ferveur.

— Un peu, ouais ! Tu penses !

Comment le leur expliquer ? Ce doux parfum de bois pourri, cette cachette qui tenait à la fois du trou d'obus, de la grotte secrète, du vaisseau spatial — c'était assez pour vous faire rêver d'être admis, assez pour oublier l'accroc béant et les piqûres d'épingle.

— Bon. Admettons. Mais d'abord, va falloir que tu fasses quelque chose.

— Oui, mais quoi ? coassa Figgy, le gosier soudain très sec.

Rambo haussa les épaules.

— Quelque chose de risqué, forcément. Quelque chose qui te mettra dans la mélasse si tu te fais pincer.

— Oui, mais quoi ? répéta Figgy, d'une voix plus fluette encore.

Rambo prit à témoin le reste de la bande. Les yeux et les lunettes brillaient dans la pénombre. A l'évidence, ils en avaient discuté entre eux. Les autres savaient déjà ce qui attendait Figgy.

— La question n'est pas *quoi* ? répondit Rambo, énigmatique. La question est *qui* ?

— Comment ça ? bredouilla Figgy.

— Ton espèce de cousine, là, tu sais bien... Lav je ne sais quoi.

— Lavinia.

— Ouais, Lavinia. Bon, eh bien, ta cible, c'est elle. Elle a besoin d'une bonne leçon, cette souris, je ne te dis que ça. Et c'est toi qui vas t'en charger, si tu veux faire partie du Gang.

Rambo se tut. Il n'avait pas précisé

pourquoi Lavinia avait besoin d'une leçon. Mais Figgy le savait, de toute manière. Et il savait aussi qu'il valait mieux n'en rien dire : Rambo ne tenait sans doute pas à s'entendre rappeler qu'elle l'avait ridiculisé en public. D'ailleurs, Figgy aussi avait ses raisons de lui en vouloir, à cette chipie. Depuis son arrivée, il n'avait eu que des ennuis, par sa faute.

— De toute manière, commença-t-il, c'est pas comme si je l'aimais. A cause d'elle, je dors par terre dans la chambre de mon frangin. Et si vous l'entendiez, à la maison ! Elle sait faire ci, elle sait faire ça, elle monte à cheval, elle joue du violon, elle est la meilleure en tout, la plus sage, la mieux élevée. Tous les autres sont des minables à côté...

Si grande était sa rancœur que plus rien ne pouvait l'arrêter. Sans même y penser, il passa sous silence ce qui l'ulcérait le plus : cette manière qu'elle avait, du haut de ses douze-ans-bientôt, de lui rappeler qu'à même-pas-onze il était encore un « petit ».

Rambo se lassa bientôt.

— Bon, ça va, on a compris. Et qu'est-ce que tu comptes faire ?

Figgy en perdit net toute son éloquence.

— Chais pas. Faudrait que je réfléchisse.

— Je sais ! s'écria Sniff. S'il la faisait passer par la fenêtre ?

— Quoi ? s'effara Figgy.

— Non, dit Gibbon. Trop dangereux.

— Et stupide, compléta Rambo. Il se retrouverait en tôle pour le restant de ses jours.

— Et alors ? marmotta Lynx. Qu'est-ce que ça aurait de stupide ?

Figgy lui décocha un regard meurtrier. Décidément, entre Lynx et lui, ce n'était pas le grand amour.

— N'empêche, insista Sniff, il faut qu'il fasse quelque chose de risqué. C'est le règlement.

— Et toi, s'informa Figgy, qu'est-ce que tu as fait ?

Rambo se chargea de répondre :

— Il a téléphoné au vieux Glub, un soir, pour lui dire qu'avec ses dictées il nous cassait les pieds.

— Il a compris que c'était Sniff, le vieux Glub ?

— Non. Sniff avait changé sa voix, tu penses bien.

— Et il appelle ça risqué ! s'écria Figgy, indigné. Et il voudrait que j'assassine ma cousine !

— J'ai pas parlé de l'assassiner, se défendit Sniff. J'ai juste dit : pousse-la par la fenêtre.

— C'est pas de l'assassinat, peut-être ?

— Pas forcément. D'abord, ça dépend de quelle fenêtre. Et elle pourrait très bien se casser une jambe, rien de plus.

— Ou se tordre le cou, répliqua Figgy, sarcastique.

Rambo les rappela à l'ordre.

— C'est fini, vous deux ? Il serait peut-être temps de vous servir de ça, dit-il en désignant son front.

C'était la mimique favorite de son père.

— J'ai une idée, déclara Figgy. Je vais téléphoner à ma cousine et lui dire qu'elle nous casse les pieds. Et je ne changerai même pas ma voix.

Lynx explosa de rire.

— Et t'appelles ça risqué ?

— Parfaitement. Si elle le dit à ma mère !

— Zéro, trancha Rambo. Pas suffisant. Il lui faut une leçon. Une vraie. Une bonne. Cherche encore.

Un silence recueilli s'ensuivit, presque aussitôt perforé par un bip-bip impérieux qui les fit tous sursauter. C'était l'alarme de la montre de Sniff, la belle montre à quartz de ses onze ans.

— Les gars, dit-il, désolé, faut que je rentre. Si je suis pas de retour à sept heures, interdiction de regarder le film à la télé ce soir.

— Mais on n'a encore rien décidé ! protesta Rambo.

— Dites, moi aussi, je voudrais le voir, ce film, s'écria Gibbon en dépliant une jambe. C'est bien *La Femme à abattre*, celui où on voit une voiture dégringoler du haut d'une falaise et exploser en touchant l'eau ?

La femme à abattre, pour finir, personne ne voulait le manquer. Rambo déclara la séance levée.

— Rendez-vous ici demain, même heure. Et toi, Figgy, tâche de te ramener avec une idée, parce que sinon... Sinon, on en aura pour toi, des idées. Et tu feras ce qu'on te dira, que ça te plaise ou pas.

L'évacuation s'effectua dans une légère confusion, chacun ne pouvant s'extraire qu'à condition de déranger tout le monde, et la sortie n'était possible que pour un seul occupant à la fois. Le tour de Figgy vint en dernier. Il se hissa sur le rebord de la souche, près de sauter au fond du fossé, mais c'est alors qu'il se rappela son jean déchiré, et le badge qui refermait l'accroc. Cette épingle acérée lui avait laissé un souvenir cuisant. Et si elle se rouvrait par accident, sous le choc de l'atterrissage ?

— Alors, tu viens ?
— Tu dors ou quoi ?
— Ma parole, il a peur de sauter !
— Peur de sauter ? De cette hauteur ? Eh, on va pas l'attendre cent sept ans !
— Pauvre petit, il a le vertige !

Mais ce n'était pas le vertige qui retenait Figgy, c'était la hantise de se faire embrocher. Il sauta. A son grand soulagement, rien ne vint se planter dans la partie charnue de sa personne.

Pour son fond de pantalon, en revanche, cet effort supplémentaire se révéla le coup de grâce. A l'atterrissage, un nouveau craquement alerta Figgy. Et cette fois, même sans contorsions, les dégâts étaient pleinement visibles : malgré le jour déclinant, les fusées spatiales flamboyaient.

— 'ttendez-moi ! cria-t-il aux autres qui filaient le long du fossé, pliés en deux comme des Sioux. C'est mon jean qui s'est redéchiré !

Mais ils ne l'attendirent pas.

Courir plié en deux en tenant d'une main le fond de son pantalon est un exercice redoutable. Figgy ne rattrapa les autres qu'à la brèche de la haie, comme ils faisaient halte le temps de vérifier que la voie était libre.

— C'est mon... jean, haleta Figgy. Il s'est... rouvert.

Rambo ne compatit que très modérément.

— Pas de veine, mon pauvre vieux, mais que veux-tu que la bonne y fasse ? Prêts, les gars ? On y va !

Et ils s'élancèrent en courant, entre poireaux et haricots verts. Ils étaient à mi-chemin de leur parcours en zigzags, lorsqu'un feulement de fauve les fit sau-

ter en l'air comme des lièvres. Ils se
retournèrent, pétrifiés.

Un vieil homme, surgi de nulle part,
gesticulait dans son carré de choux à dix
mètres d'eux.

Ils frémirent. Ce rugissement de lion
leur avait glacé le sang, mais l'apparition
se révélait plus inquiétante encore.
C'était un vieil homme, certes, mais un
vieil homme encore alerte et que la
fureur, à n'en pas douter, rendait capable de poursuite, voire de mise à mort.
Ce n'était pas un adversaire comme les
parents, les enseignants ou la police,
avec qui on pouvait discuter. Entre ses
mains, on risquait de passer un très
mauvais quart d'heure.

Mais l'ennemi ne chargea pas et se
contenta de vociférer, en brandissant sa
fourche d'une main et de l'autre une
énorme carotte :
— Fichez le camp d'ici, et plus vite que
ça !

Ils détalèrent sans demander leur
reste, sans même risquer un pied de nez,
s'attendant à tout moment à se faire
empaler par cette fourche ou estourbir
par cette carotte géante.

Figgy en oublia ses fusées spatiales. Les bras en piston de locomotive, il suivit le mouvement sans presque toucher terre.

Les imprécations de l'ange gardien des choux les escortèrent jusque sur le pont, jusque sur le chemin de halage.

— Petits galopins, que je vous y reprenne ! Remettez le pied par ici et je vous taille les oreilles en pointe ! Non mais, savez pas lire ? Z'avez pas vu le panneau à l'entrée ?

La rivière traversée, hors d'atteinte de l'ennemi, ils se laissèrent choir dans l'herbe. La bravoure leur revint — en paroles — avant le souffle.

— Crénom... haleta Sniff. D'où est-ce qu'il a pu sortir ? Vous l'avez vu arriver, vous ?

— Devait être... derrière sa cabane, souffla Rambo. 'Spèce de vieux crétin.

— Vous croyez qu'il nous a vus sortir de la cachette ? se demanda Lynx.

— Sans doute pas, le rassura Rambo. N'empêche, il va falloir faire attention à partir de maintenant. Plus question de traverser les Lopins, pas tant qu'il nous aura à l'œil, en tout cas. Il faudra faire le grand tour, le long de la haie.

— Hé ! protesta Sniff, ça fait des kilomètres en plus.

— T'as une meilleure idée, peut-être ? Tu veux qu'on se creuse un tunnel ?

— Vous croyez qu'il saurait nous reconnaître ? s'interrogea Figgy.

— Il reconnaîtrait ton caleçon, à tous les coups, susurra Lynx. Si j'étais toi, je changerais de motif — peut-être des locomotives bleues, ou des motos roses ?

— Très drôle.

— Moi j'en ai que des blancs, observa Gibbon d'un ton un peu triste.

— Quand vous aurez fini de parler chiffons ! coupa Rambo qui se relevait déjà. Bon, et n'oubliez pas, hein ! A partir de maintenant, on fait le grand tour et on garde l'œil ouvert. Parce que le pépé, moi, je vais vous dire : j'aimerais mieux pas le rencontrer au coin d'un bois !

5. Figgy passe contrat

Le trajet de retour, curieusement, avait triplé de longueur depuis l'aller. Et c'était bien la première fois que Figgy voyait tant de monde dans les rues un samedi soir. Bien entendu, les passants n'avaient d'yeux que pour lui. Il en était sûr, tandis qu'il les croisait d'un air gêné, en crabe, une main dans le dos pour essayer de maintenir fermé ce satané fond de pantalon. Et lorsqu'il entendait rire il ne se faisait pas d'illusions : c'était de lui qu'on se moquait, de lui et de son jean déchiré. De quoi d'autre aurait-on pu rire ?

Hélas, pousser la porte du 17, rue Stanley ne fut qu'un soulagement passager. A présent, c'était sa mère que Figgy allait devoir affronter. Franchement, dans la vie, on ne se débarrassait d'un problème que pour se retrouver face à un autre !

Il se coula dans la cuisine. Des bribes de chant choral lui parvinrent du séjour. Sa mère et Lavinia devaient être encore vissées devant la télévision, en train de savourer « Chœurs et cantiques ». Peut-être qu'en montant l'escalier sans bruit il avait une petite chance de se changer sans se faire repérer ? Ce ne serait que reculer pour mieux sauter, d'accord. Mais malgré tout...

Hélas, sa mère avait l'ouïe fine.

— C'est toi, Michael ? Viens vite, tu arrives à temps pour voir Lavinia !

Il ne restait vraiment qu'à obéir. Figgy se faufila dans la pièce, en biais une fois de plus, et s'assit prestement sur le tapis, adossé contre le siège du canapé.

— Regarde ! s'écria sa mère. La voilà ! Regarde, là ! Ah, on ne la voit déjà plus... On aurait vraiment dit que c'était toi, Lavinia, tu ne crois pas ? Il y a ici des tas de gens que Lavinia connaît, n'est-ce pas, Lavinia ? Tiens, regarde, Figgy. Cette dame, là — pas celle au grand col blanc, celle d'à côté, au collier de perles. Eh bien, Lavinia l'a eue pour institutrice. Comment m'as-tu dit qu'elle s'appelait, déjà, chérie ? Miss Mawson ? Non, Miss Maldon, allons, j'oubliais.

Figgy n'était guère captivé par cette foule endimanchée psalmodiant des cantiques. Qui pouvait regarder des émissions pareilles ? Il fallait être débile pour trouver plaisir à voir tous ces gens à la bouche ouverte — et complètement taré pour souhaiter regarder Lavinia. Sa mère et Lavinia n'en suivirent pas moins l'émission jusqu'à l'apparition du géné-rique final.

— Ma foi, conclut Mme Figg en quittant le canapé, après cette merveilleuse soi-rée, je parie que personne n'aura rien contre une petite tasse de thé...

M. Figg s'éveilla et dit qu'en effet il n'avait rien contre.

— Et toi, Michael ? s'informa Mme Figg.

— Oui, répondit Figgy.

— Oui quoi ?

— Oui, j'veux du thé.

— Tu en *veux*, tu es sûr ?

— J'en voudrais, rectifia Figgy.

— J'aime mieux ça, lui dit sa mère. Et je t'encourage vivement à te remuer et à m'aider à sortir les tasses... Non, Lavinia, pas toi, cette fois. Laisse Son Altesse se rendre un peu utile ; ça lui fera le plus grand bien.

Figgy se releva gauchement. Il n'oubliait pas que l'envers de sa personne n'était guère présentable. Comment manœuvrer pour sortir de la pièce sans révéler l'inavouable ?

— Eh bien, Michael, tu as des rhumatismes ? Qu'est-ce qui t'arrive ? Pourquoi tiens-tu le bras derrière toi ? (Mme Figg était prise de soupçons.) Qu'est-ce que tu as fait, encore ? Tourne-toi, s'il te plaît.

Il se tourna. Sa mère écarta le bras qui contenait le désastre, et les fusées spatiales apparurent. Aussi bien élevée fût-elle, Lavinia pouffa discrètement.

Figgy eut beau défendre sa cause, sa mère ne lui accorda aucune circonstance atténuante. Il n'avait rien à faire dans les arbres. S'il était resté sagement à la maison pour tenir compagnie à sa cousine, ce désastre n'aurait jamais eu lieu. Et s'il espérait un jean neuf, il se trompait. D'où croyait-il qu'elle tirait l'argent, d'un chapeau ? Tant pis pour lui, il aurait à s'accommoder d'un fond de pantalon ravaudé. Et d'ailleurs...

Figgy crut un instant que le sermon durerait toute la nuit, mais pour finir sa mère l'envoya se changer.

Lorsqu'il redescendit, le film était déjà commencé. Du coup, il eut un peu de mal à saisir le fil de l'intrigue. Apparemment, un sinistre individu cherchait à se débarrasser d'une grande blonde, et « passait contrat » avec un mystérieux personnage. Figgy crut comprendre que le « contrat » en question consistait à supprimer la dame, et la suite prouva qu'il avait raison. Attirée par la ruse dans une cabane isolée, la belle y perdait connaissance sous l'effet d'un somnifère, et le tueur à gages mettait le feu à la bicoque. Le film aurait pu se terminer là, mais le jeune premier de service, détective privé de son état, sauvait la dame à la dernière minute et l'emportait dans ses bras, inanimée. De nouveau, le film aurait pu se terminer là, mais le sinistre individu s'acharnait, et la blonde frôlait la mort trois ou quatre fois encore avant la grande scène finale :

les tueurs se laissaient prendre à leur propre piège, et c'étaient eux qui trouvaient leur fin dans l'explosion qui avait tant enthousiasmé Sniff.

Autour du thé-dîner sur lequel s'achevait le rituel des dimanches, Mme Figg évoqua l'emploi du temps du lendemain. Lavinia avait-elle un souhait particulier ? Désirait-elle voir quelque chose, aller quelque part — auquel cas Michael se ferait un plaisir de l'y emmener ?

Mais Lavinia ne voyait pas, merci, et elle ne voulait surtout pas obliger Michael à modifier son programme pour elle. Elle était sûre qu'il aimait mieux jouer avec ses amis.

En quoi elle n'avait pas tort, mais Figgy trouva qu'elle exagérait. Avait-elle besoin de le dire sur ce ton de grande personne, et de manière à bien souligner qu'il n'était qu'un petit garçon ?

Mme Figg se récria.

— Mais pas du tout, Lavinia ! Michael est ravi de ta compagnie. Et tu pourras garder l'œil sur lui, l'empêcher de déchirer ses fonds de pantalon les uns après les autres...

L'arrivée de Peter mit fin à cet humour douteux. Il s'empressa d'engloutir ce qu'il restait de saucisses, annonça qu'il allait prendre un bain et fila à l'étage.

Leur mère se tourna vers Figgy.

— Et toi, jeune homme, il est grand temps que tu ailles te coucher. Je t'accorde encore cinq minutes et tu montes. Tu sais à quoi tu ressembles quand tu n'as pas assez dormi.

En passant devant la salle d'eau, Figgy surprit de vigoureux clapotis. Son sang ne fit qu'un tour : Peter était en train de jouer avec les bateaux de plastique entreposés près de la baignoire, propriété exclusive de Figgy !

Il se jeta sur la porte pour l'ouvrir à la volée, dans l'espoir de surprendre son aîné sur le fait.

Manqué. La porte était fermée à clé. Les clapotis cessèrent.

— Qui veut quoi ? demanda Peter.

— Rien.

— Ah, c'est toi. Décampe.

Figgy s'éloigna, le cœur en berne. Il se laissa tomber sur le lit de son frère et compta ses malheurs. Tout allait de travers. Lavinia. Le jean déchiré. L'épreuve imposée par le Gang. Peter et le billet d'injures confisqué...

Le billet !

Le regard de Figgy se posa sur les oripeaux fraternels, épars sur le plancher. Tout était là, sous-vêtements, chaussettes, baskets, tee-shirt, jean — *veste en jean !*

D'après le concert d'éclaboussures en provenance de la salle d'eau, la bataille de l'Atlantique faisait rage. Ce qui laissait amplement le temps de faire l'inventaire de ces poches et d'y retrouver le billet.

La veste en jean était la cachette la plus plausible. Figgy s'en empara, l'ouvrit, plongea la main dans la poche intérieure. Il tressaillit. Là, sous ses doigts, un petit bout de papier plié. Tremblant de soulagement, il l'extirpa de la poche. Il ne lui restait plus qu'à détruire ce document compromettant et ce serait un problème en moins. Par acquit de conscience, avant de le déchirer, il déplia le feuillet.

Tous ses espoirs s'écroulèrent.

Au lieu de la page d'insultes écrite de

sa main, le message qu'il avait sous les yeux était bref :

CHER ABRUTI DE PETIT FRERE,
QUI T'A PERMIS DE TOUCHER A MES AFFAIRES ?
BAS LES PATTES OU GARE A TOI.

Figgy en resta les bras ballants. C'était vraiment trop injuste.

Il était encore figé là, frappé par ce coup du sort, lorsque Peter regagna la chambre. L'aîné jeta un regard au cadet et sourit jusqu'aux oreilles.

— Allons, allons, petit frère, tu devrais être au lit depuis longtemps. Couche-toi vite, que je te raconte une belle histoire.

Figgy était trop abattu pour chercher une réplique. Il fit une boulette du message et la jeta sur le plancher. Puis il se dévêtit sans un mot et se glissa dans son duvet. Planté devant l'armoire à glace, Peter faisait saillir ses muscles en souriant à son reflet.

Figgy se tourna vers le mur. Encore une injustice criante. Pourquoi Peter était-il si musclé ? Pourquoi était-il grand, et fort, et bronzé ? Ils étaient frères, après tout. Alors pourquoi Figgy était-il petit pour son âge, plus fluet qu'une sauterelle, et si blond qu'au moindre soleil il virait au rouge écrevisse ?

Peter éteignit le plafonnier. Il alluma sa lampe de chevet, s'assit sur son lit et se mit en devoir de se couper les ongles de pied.

— Tu sais à quoi je pense, petit frère ? Je me demande ce que tu pourrais bien faire pour moi demain.

Figgy ne répondit pas.

— Remarque, c'est pas les idées qui me manquent...

Silence complet du sac de couchage.

— Bizarre, ça ne t'intéresse pas ?

— ...

— Toi qui es si curieux, pourtant ! Bref, pour en revenir à demain. Tu avoueras qu'aujourd'hui tu t'en es tiré à bon compte. A part préparer le thé ce matin, et faire un tour au parc en compagnie de ta tendre amie, tu n'en as pas fait lourd. Pour me remercier de soustraire aux regards indiscrets certain document explosif, il me semble que tu me dois davantage. Par exemple, je me disais, je suis sûr que tu meurs d'envie de nettoyer mon vélo à fond. Et quand je dis à fond, je dis à fond : que ça brille de partout, les chromes et le reste, que la chaîne soit bien huilée, sans bavures. Les copains et moi, on se fait une grande virée d'main aprèm, ça te laisse la matinée pour peaufiner le boulot... Bon, maintenant je te laisse faire dodo. Bonne nuit, petit frère !

Peter se glissa entre les draps. Cinq minutes plus tard, il dormait.

Mais Figgy ne dormait pas, et dans sa tête tous ses soucis menaient une ronde infernale : Lavinia, la lettre d'injures, le Gang, Lavinia, la lettre d'injures, le Gang, Lavinia, Lavinia, Lavinia... Tout commençait et aboutissait à Lavinia. Sans la venue de Lavinia, jamais il n'aurait songé à écrire ce billet douteux, jamais Rambo ne l'aurait chargé de se venger d'elle. Lavinia n'étant là que pour quelques jours, Figgy se sentait capable de survivre jusqu'à son départ, mais cette héroïque décision laissait intacts les deux autres problèmes : le chantage de Peter et l'ultimatum de Rambo. Ce dernier point surtout exigeait des mesures d'urgence. Rambo avait bien stipulé : « Et demain, tâche de revenir avec une idée... »

Une idée. C'était vite dit. Que le diable emporte cette Lavinia ! La femme à abattre, c'était elle, oui ! Oh, si seulement quelqu'un avait l'idée de l'enfermer dans une cabane et de — non, pas d'y mettre le feu, mais peut-être...

Une cabane ?

« Ils sont en voyage... C'est mon père qui a la clé... »

Figgy la tenait, son idée.

Les deux frères dormaient encore, à dix heures le lendemain matin, lorsqu'une Lavinia toute pimpante — cheveux brossés, pull et jean impeccables — passa la tête à leur porte.

— Tatie dit que si vous tenez à votre petit déjeuner, il faut vous lever tout de suite. Il fait un temps magnifique.

Ils clignèrent des yeux, grimacèrent, mais s'exécutèrent sans mot dire. Figgy gagna la cuisine en somnambule et en pyjama, Peter le suivit en robe de chambre.

— Regardez-moi ces deux hiboux, s'indigna leur mère. A l'heure qu'il est ! Vous n'avez pas honte ?

Ils mâchonnèrent leurs corn-flakes en silence, tandis que leur mère faisait la vaisselle et que Lavinia l'essuyait. Leur père était parti pour le bureau depuis longtemps.

— Alors, dit Mme Figg en rangeant la théière, qu'allez-vous faire aujourd'hui, les enfants ?

— Michael nettoie mon vélo, ce matin, annonça Peter.

— Comment ? C'est une plaisanterie, n'est-ce pas, Michael ?

— Non.

— Alors là, franchement, les bras m'en tombent. Je sais bien, hier tu as déchiré ton jean, mais à part ce détail, depuis deux jours tu es si serviable, si gentil et tout... Et toi, Lavinia, tu as des projets pour la journée ? Il ne faut pas hésiter à nous le dire, si tu souhaites quelque chose de précis.

— Oh, tu sais, je n'ai pas touché à mon violon depuis trois jours, il va falloir que je me rattrape. Et j'aimerais bien t'aider, aussi, si tu me trouves quelque chose à faire.

— Le lundi, en général, je commence par une lessive. Mais quand j'aurai chargé la machine, tu peux venir faire les courses avec moi si le cœur t'en dit.

Lorsque Figgy redescendit enfin, tout habillé, tout propre, il trouva sa mère occupée à faire le tri du linge à laver, tout en devisant avec Lavinia qui sirotait une énième tasse de thé.

— Et si je ne commençais pas par vider d'abord toutes ces poches, disait Mme Figg en empoignant un jean, va savoir ce que je retrouverais dans cette machine à laver ! Des mouchoirs en papier, des carnets de notes, des bonbons, des marrons, des billes, de la monnaie — et même des billets de banque, un jour, dans un pantalon de ton oncle ! Là, qu'est-ce que je disais ? Regarde ! (Elle brandissait un gros crayon-feutre, pêché dans une poche du jean de Figgy.) Tu imagines le beau travail, hein, si cet objet avait dansé avec le reste de la lessive ?

Figgy tenta de se faufiler au jardin.

— Et où vas-tu comme ça ? s'informa sa mère.

— Au cagibi. Il faut que je nettoie le vélo de Peter.

Tout à sa tâche, sa mère ne releva pas cet « il faut » suspect. Figgy s'éclipsa sans lui laisser le temps de s'interroger sur ce point.

La bicyclette de Peter logeait dans la remise au fond du jardin. C'était un superbe vélo de course, produit d'un Noël et d'un anniversaire combinés. Né un 27 décembre, Peter se plaignait de n'avoir jamais de vrai cadeau d'anniversaire, seulement des restes de Noël mis de côté pour le surlendemain. Figgy voyait les choses autrement : son frère recevait toujours de somptueux présents, alors que lui n'avait droit qu'à de petits cadeaux minables.

Et ce vélo, précisément, était un engin superbe. Six vitesses, un cadre racé, un guidon au profil de bélier, bref, une machine conçue pour foncer, pour se griser de vitesse. Peter entretenait cette merveille avec un soin jaloux. En un an et demi, pas une éraflure, pas un point de rouille sur la belle peinture d'un bleu électrique, rien. Mais la poussière de l'été s'était déposée sur les jantes, et la boue du dernier orage bardait les enjo-liveurs. Redonner à ce vélo l'éclat du neuf serait une œuvre de longue haleine.

Muni d'un chiffon graisseux, Figgy se mit à l'ouvrage. C'était un travail de patience, pour ne pas dire franchement casse-pieds. Tous ces rayons entre lesquels il fallait glisser le chiffon, sans parler des coins et recoins quasiment impossibles à joindre ! Au bout d'une demi-minute, on avait les doigts tout gras d'huile noirâtre.

Bientôt, depuis la maison, des sons insolites lui parvinrent. Ce furent d'abord des grincements discrets, des bruits de cordes pincées ; Lavinia accordait son violon. Suivit une série de gammes — des graves aux aiguës, des aiguës aux graves, indéfiniment –, reprises avec zèle en cas de fausse note. Puis vinrent les vrais morceaux, des airs sérieux et compliqués, impossibles à siffloter, ennuyeux comme la pluie. Le tout n'en finissait plus, Lavinia n'étant pas du genre à ranger son instrument sitôt achevée sa demi-heure d'exercices réglementaire. Au contraire, elle reprenait inlassablement les passages les plus insoutenables.

Soudain, l'ombre de Peter se profila dans le rectangle de la porte.

— Alors, on fait ça bien ?

D'un œil critique, il inspecta le travail.

— Bon, ça ira. Continue, petit frère. Si tu fais du bon boulot, la prochaine fois je t'en chargerai encore. (Il ricana, fit mine de s'éloigner, se ravisa.) Mais si tu sabotes le travail, je te ferai tout recommencer.

Figgy serra les dents. Saboter le travail. Comme s'il n'en mourait pas d'envie, justement ! Mais pas en laissant de la boue, non. En effectuant deux ou trois petits « réglages » de son cru. En desserrant les freins, par exemple. Ou les boulons qui maintenaient les roues. Il aurait l'air malin, Peter, si son vélo s'émiettait sous lui !

Mais ce n'étaient que pensées en l'air, Figgy le savait bien. Le mois précédent, à l'école, des représentants de la Prévention routière étaient venus parler des dangers de la route. Ils avaient projeté des diapos que Figgy n'était pas près d'oublier : des vélos accidentés, justement, et des photos de victimes à l'hô-pital. Non, même à un grand frère, on ne pouvait pas faire ça.

La corvée achevée, Figgy s'essuya les mains et ressortit au soleil. Le violon s'était tu. Sa mère apparut sur le pas de la porte.

— Nous allons au marché, Lavinia et moi. Nous n'en n'avons pas pour long-temps. Tâche de ne pas faire de sottises !

Figgy alla se laver les mains. Mission quasi impossible, après une besogne aussi sale. Il vous restait toujours un peu de noir sous les ongles, sans parler des craquelures de la peau.

Après son départ, le lavabo s'ornait d'une charmante auréole, du style marée noire de poche.

— Avez-vous entendu Lavinia s'exercer ? demanda Mme Figg à ses fils, au repas de midi. Je ne m'étonne plus qu'elle ait décroché des premiers prix de concours. Moi, j'ai toujours peine à croire qu'on puisse tirer des sons aussi beaux d'un instrument aussi simple en apparence.

— Moi aussi, renchérit Peter. Et tout à

l'heure Michael me disait qu'il aimerait tant apprendre à jouer !

— C'est vrai ? s'écria Mme Figg sans laisser à Figgy le temps de protester. Je croyais qu'il n'aimait pas le violon ? (Elle se tourna vers sa nièce.) Il dit toujours qu'on croirait un chat sur la queue de qui on marche. Apparemment, t'entendre jouer l'aura fait changer d'avis.

— Moi je veux bien lui donner une leçon, hasarda Lavinia. S'il en a envie, bien sûr.

— C'est vraiment gentil à toi, approuva Mme Figg. Et tenez, vous devriez faire ça tout de suite. Du moins si vous ne voulez plus reprendre de cette tarte aux pommes.

A contrecœur, Figgy suivit sa cousine à l'étage pour sa première leçon de violon. Au bout d'une demi-heure de grincements à dératiser tout le quartier, Lavinia rendit les armes.

— Je ne crois pas que Michael soit tellement doué pour le violon, avoua-t-elle à sa tante.

— Je ne le crois pas non plus, reconnut Mme Figg.

Le soulagement de sauver ses tympans

du martyre l'emportait nettement sur la petite déception de n'avoir pas engendré un futur Menuhin.

Quant à Figgy, la rage au cœur, il priait le ciel plus que jamais pour que son plan fût un succès...

Il parvint à s'enfuir à temps et fila au trot en direction des Lopins. Cette fois, il s'y rendait seul. Au portail, il jeta un coup d'œil. A première vue, il n'y avait pas un chat, mais on n'était jamais trop prudent. Il fit donc le grand tour avec des ruses de Sioux, se ruant d'une cachette à l'autre le long de la haie clair-semée. Enfin le fossé lui offrit ses profondeurs spongieuses et il gagna la souche d'un trait.

Il n'était pas le dernier. Gibbon tardait à arriver.

Ils l'attendirent patiemment, mottés au fond de leur repaire, tandis qu'autour d'eux s'activaient les cloportes et autres créatures friandes de pourriture. Au-dessus de leurs têtes un avion invisible incisait le ciel du soir.

Enfin, ils entendirent des craquements. Gibbon passa le nez par-dessus le rebord de la souche.

— C'est à cette heure-ci que tu te pointes ? accusa Rambo. On t'attendait, nous, figure-toi.

Gibbon les rejoignit au fond du trou.

— Désolé. Fallait que je garde ma petite sœur.

Rambo se tourna vers Figgy.

— Alors ? Tu le sais, ce que tu vas faire ?

— Vous avez regardé le film, hier soir ?

— Ouais.

— Pas moi, soupira Lynx. Papa voulait regarder la Trois. C'était bien ?

— Génial. Mais surtout ça m'a donné une idée.

— Laquelle ? grogna Rambo, intrigué malgré lui.

— Vous savez, ce type qui en paie un autre pour enlever la bonne femme...

— Sa sœur, c'est ça ?

— Oui, dit Sniff, même qu'ils l'enferment dans une cabine de plage comme celle qu'on avait louée à...

— Voilà, coupa Figgy, je me suis dit qu'on pourrait faire la même chose à Lavinia.

— Quoi ?! s'effara Gibbon. Tu te vois faire rôtir ta cousine, toi ?

— Non, malin. On n'y mettrait pas le feu. On l'enfermerait, c'est tout, et on lui ferait peur.

— Minute, papillon, intervint Rambo. T'arrêtes pas de dire « on ferait ci », « on ferait ça ». Je te rappelle que c'est *toi* qui es censé faire les choses.

— Oui, mais moi elle me connaît.

— Un peu normal, non ?

— Si, mais ça veut dire que, pour l'enlèvement, faudrait que ce soit quelqu'un d'autre. Sinon, elle me reconnaîtra tout de suite. Le mieux, c'est que je passe contrat.

— C'est-à-dire ?

— Tu sais bien : comme dans le film. Je charge quelqu'un d'autre de le faire pour moi.

— J'y comprends rien, dit Lynx.

— C'est pourtant simple, assura Figgy. Ton grand-père a un terrain ici, non ? Avec une cabane ?

— Oui, mais...

— Et c'est ton père qui a la clé tant que ton grand-père est en voyage ?

— Hmm.

— Cette clé, tu sais où elle est ou pas ?
— Papa la range avec les autres sur le porte-clés de la cuisine.

Mais Rambo s'impatientait.
— Où est-ce que tu veux en venir ? Moi non plus, je vois pas très bien.
— Je me disais qu'on pourrait peut-être capturer Lavinia et l'enfermer dans la cabane du grand-père de Lynx.

Il y eut un silence. L'idée ne manquait pas de charme. Chacun imaginait la scène. Les bouches s'entrouvraient dans l'effort.

Sniff rompit le silence.
— Je vois pas comment ça pourrait marcher.
— Pourquoi ? s'enquit Figgy.
— Pour commencer, comment on ferait pour l'attirer ici ?
— Je pourrais l'emmener en promenade. Maman est tout le temps sur mon dos pour que je la sorte et tout ça.

Lynx pouffa de rire.
— A t'entendre, on croirait un chien.
— La ferme, prévint Rambo. Ou on n'en aura jamais fini.
— Mais nous aussi, elle nous reconnaîtrait, objecta Sniff.

— Pas si vous êtes masqués. Vous pourriez vous mettre des vieux bas sur la tête, comme des cambrioleurs.

— Mais si t'es avec elle, dit Rambo, il faudra qu'on t'enlève aussi.

— Je pourrais m'enfuir, la laisser toute seule.

— Rien de mieux pour qu'elle devine que tu es dans le coup.

— Je trouverai bien un prétexte.

— Comme quoi, par exemple ?

— Je pourrais... je pourrais lui dire que j'ai envie de faire pipi, bêtement, et aller derrière un arbre.

— Un peu cousu de fil blanc, souligna Sniff.

— Pas si c'est moi qui viens la sauver à la fin.

— Ah, parce que tu serais plus fort que nous tous ?

— Non, non, je la sauverais pas tout de suite. Plus tard seulement. Beaucoup plus tard. Je dirais que je l'ai cherchée partout et qu'enfin je viens de la retrouver. Dans cette cabane. Vous comprenez ?

— Admettons, marmonna Rambo, sceptique. Mais si elle est enfermée, comment tu fais pour lui ouvrir ?

— Vous pourriez laisser la clé quelque part.

— Hé, minute ! s'alarma Lynx. Cette clé, il faut qu'elle soit en place avant le retour de mon père !

— Pas de problème, assura Figgy. Je peux sauver Lavinia à temps pour le thé. Le mieux, ce serait que vous vous planquiez quelque part dans le secteur. Comme ça, dès que je l'aurais sauvée, tu récupérerais ta clé.

— Une supposition, dit Rambo, qu'elle raconte tout à tes parents — et c'est ce qu'elle fera, tu peux en être sûr. S'ils viennent faire leur petite enquête et qu'ils découvrent que c'était la cabane du grand-père de Lynx ?

— Parfaitement, renchérit Lynx. Hein ? Hein ? Tu y as pensé, à ça ?

Tous les regards étaient braqués sur Figgy.

Figgy réfléchit un instant.

— Vous pourriez peut-être lui bander les yeux et lui attacher les mains dans le dos ? suggéra-t-il, incertain.

— Crénom, commenta Gibbon. T'y vas pas par quatre chemins.

Mais l'idée souriait assez à son imagination.

Dans l'esprit de Figgy, l'aventure prenait tournure. Il reprit avec fougue :

— Si elle ne voit pas où vous l'enfermez, et si je me dépêche de l'emmener dès que je viens lui ouvrir, y a des chances qu'elle ne sache même pas dans quelle cabane on l'a enfermée.

— C'est vrai, approuva Sniff que le projet commençait à séduire. En plus, elle sera complètement chamboulée, en larmes et la tête à l'envers...

— N'empêche, s'entêta Lynx. Moi, il y a une chose qui me gêne un peu. Dans cette affaire, qui fait tout le boulot et prend tous les risques ? C'est nous, alors que c'est *lui* qui est censé faire quelque chose de risqué !

— Exact, approuva Rambo. En cas de pépin, tout nous retombe sur le dos.

— Tout à fait d'accord, renchérit Gibbon. Et lui s'en tire comme une fleur.

— Mais c'est quand même une bonne idée, rappela Sniff.

Rambo avait la solution :

— Et si tu nous signais un papier, comme quoi c'est toi qui as tout mijoté, pour le cas où on se ferait épingler ? Si quelqu'un nous tombait dessus, on montrerait le papier.

— Ouais ! s'écrièrent en chœur les trois autres. On lui fait signer un papier !

Figgy n'y tenait pas spécialement. Ecrire des choses à la légère lui avait valu trop d'ennuis, ces derniers temps. Il n'aimait pas du tout l'idée de lâcher dans la nature un second bout de papier jouant les bombes à retardement.

Il fit la moue. Mais Lynx insista.

— Moi, tant qu'on n'a pas ce papier, je marche pas. C'est la cabane de mon grand-père, je vous rappelle.

— Bon, d'accord, céda Figgy.

Aucun d'eux n'ayant sur lui de crayon ni de papier, force fut de remettre au lendemain la rédaction du document. Au grand regret de chacun, car de minute en minute le projet plaisait davantage. Mais, comme le souligna Rambo, l'affaire était trop importante pour s'y lancer à la légère.

— Rendez-vous ici demain à onze heures, conclut-il. Ou plutôt à dix heures et demie, d'accord ? Ce serait mieux.

Le seul à ne rien pouvoir promettre était Figgy.

— Tout dépend de Lavinia, bredouilla-t-il. Maman risque de m'obliger à l'emmener je ne sais où. Et en plus, il y a Peter qui...

— Peter qui quoi ? voulut savoir Lynx.

— Oh, rien, marmotta Figgy. Simplement, ces derniers temps, il est un peu lunatique.

Il n'allait tout de même pas leur raconter sa vie.

6. Disparition

A l'heure du thé, Figgy se montra peu disert. Il avait trop de soucis en tête — et la conscience modérément tranquille, à vrai dire. Aussi sursauta-t-il comme un cambrioleur lorsque sa mère déclara :
— Et ne va pas croire que je ne suis pas au courant de ce qui se prépare.

Il allait improviser une excuse, mais sa mère enchaîna :
— Je suis parfaitement au courant, Lavinia. Mercredi, c'est ton anniversaire. Et tes parents non plus ne l'ont pas oublié, va. Ils ont envoyé un gros colis par la poste, juste avant de partir en voyage...

Figgy frémit de soulagement. L'anniversaire de Lavinia ! Ce n'était donc que cela. D'ailleurs, à la réflexion, comment sa mère aurait-elle pu savoir ce que tramait le Gang ? A moins de lire l'avenir dans les feuilles de thé...

— Pour un gros paquet, c'est un gros paquet, ajouta M. Figg. Et nous nous demandions, ta tante et moi, comment nous pourrions te faire plaisir. Tu as des idées à nous souffler ?

— Oh, merci, sourit Lavinia. C'est vraiment gentil mais... Non, je ne vois pas.

— Songes-y, en tout cas, lui dit sa tante. Nous serions si heureux de faire de ce 20 avril un grand jour ! Nous nous sommes creusé la tête pour imaginer une surprise, mais comme tu vois nous n'avons rien trouvé. Il est vrai qu'après tout les surprises ne font pas toujours plaisir.

Oh, que non, pas toujours ! songea Figgy, le front sombre.

— Nous avions pensé donner une petite réception, reprit M. Figg, mais en dehors de nous quatre tu ne connais pas encore grand monde, ici.

Encore heureux, se dit Figgy.

— Ce qui ne nous empêchera pas de préparer un bon dîner d'anniversaire, ajouta sa femme.

Super, se réjouit Figgy en silence, encore un diplomate !

Deux diplomates en cinq jours. C'était trop peu, sans doute, pour faire pardonner le reste, mais il fallait rendre justice à Lavinia : cette double aubaine lui était due.

Peter avait englouti son repas à toute allure, pour changer, et déjà il se ruait à l'étage. M. Figg consulta sa femme du regard. Elle hocha la tête d'un air résigné.

— Oui, dit-elle, il se l'est acheté. Avec son argent de poche, il n'y a donc rien à redire. Voilà bien trois semaines qu'il en parlait. Cela dit, voilà un vêtement qui se retrouvera souvent au lavage. Chaque fois qu'il l'enlèvera, pour tout dire — et on sait qui fait la lessive et le repassage dans cette maison.

— Ils commencent de plus en plus tôt, grommela M. Figg. Je le revois comme si c'était hier au milieu de tous ses jouets...

— Il y joue encore ! accusa Figgy. Même qu'il joue avec les miens, en plus. Chaque fois qu'il prend un bain, il faut qu'il tripote mes bateaux. Et moi, si je touche à quelque chose qui est à lui, il me...

— Bon, ça va, ça va, l'interrompit son père. Parions qu'à son âge tu en feras tout autant.

— Moi ? J'aurai pas de petit frère à qui chiper ses jouets !

— Ne fais donc pas le nigaud, intervint Mme Figg. Ce n'est pas ce que ton père veut dire.

La vaisselle n'était pas encore débarrassée que Peter redescendait, sanglé dans un jean étroit d'un blanc à faire cligner des yeux.

— Arrhm, renifla M. Figg, franchement désapprobateur. Tu es sûr que tu peux t'asseoir, saucissonné là-dedans ?

— Peter ! dit seulement sa mère.

Frimeur, songea Figgy.

— Je sors, marmonna Peter à travers son chewing-gum. A la revoyure. Ne m'attendez surtout pas.

— Taratata ! coupa son père. Nous n'aurons pas à t'attendre : tu seras ici à dix heures, pas une minute plus tard. Et je ne plaisante pas, tu m'entends ?

— Bon, bon, d'accord, grommela Peter. Je ne suis plus un gamin, je te signale.

Peter parti, M. Figg se tourna vers sa femme.

— Il a une fille en tête ou quoi ?

— Une ? Je ne pense pas. Toutes à la fois. Ces petites fofolles de la Maison des jeunes.

— Il faut dire qu'il a du charme, fit observer Lavinia.

Figgy faillit s'étrangler.

— Euh, tout à fait comme son père, commenta M. Figg, l'œil luisant.

Mais on le sentait soucieux.

— Tout ça ne lave pas ma vaisselle, conclut Mme Figg. Tu veux bien l'essuyer pour moi, Lavinia ?

Figgy était encore plongé dans un album de bandes dessinées lorsque son frère rentra, vers dix heures cinq.

Peter se déchaussa en deux secondes, mais se dépouiller de son jean étroit se révéla plus ardu.

— Au lieu de me regarder bêtement, tu ferais mieux de me donner un coup de main, lança-t-il à son petit frère.

— Dis donc ! se rebella Figgy. Qui a

voulu un jean serré ? En plus, je ne suis pas ton esclave.

— Ce dernier point reste à voir, déclara Peter en s'asseyant sur le lit. Je te conseille de faire ce qu'on te dit. Vu ? Prends ce bas de pantalon et tire.

Non sans pester à mi-voix tout le temps de l'opération, Figgy s'exécuta et, centimètre après centimètre, dépouilla son aîné de ce fourreau étriqué.

— Parfait, souffla Peter, heureux de respirer enfin. Maintenant, mets-moi ça sur le dossier de cette chaise, et discutons un peu de la journée de demain.

— Oh, Pete ! supplia Figgy.

— Tiens donc, c'est « Pete » maintenant ? Ce n'est plus... comment c'était, déjà — ah oui, « vieille ordure » ?

— S'il te plaît, sois chic.

— Tu as déjà vu de vieilles ordures être

chics ? Nous disions donc : mis à part, peut-être, un douloureux intermède au violon, tu as honteusement négligé l'adorable Lavinia aujourd'hui, et c'est pourquoi je suggère que demain tu l'emmènes faire une longue promenade. Il ne manque sûrement pas de jolis coins qu'elle rêve de visiter depuis toujours. Alors tâche d'être à la hauteur. Et n'oublie pas : demain soir, j'exige un rapport détaillé.

Figgy jura tout bas.

— Qu'est-ce que j'entends ? Le vilain mot ! Je me demande où tu vas chercher des horreurs pareilles. Allons, fais de beaux rêves, petit frère.

En silence, dans l'obscurité, Figgy se fit une promesse solennelle. La formule en était longue et comptait nombre de vilains mots. Quant à Peter, quoique concerné au premier chef, il ne se souciait guère de ce qui bouillonnait sous le crâne de son petit frère. Il était trop occupé à savourer en pensée le succès de son pantalon blanc, et ce qu'avait dit à son propos Lucy Butler à Claire Thomas, assez haut pour être sûre qu'il l'entendrait.

Au petit déjeuner, Peter réédita son vieux truc éculé.

— Au fait, il y a Michael qui se demandait, hier soir, si Lavinia n'aurait pas envie de faire une petite balade.

Lavinia observa Peter une seconde, puis elle baissa les yeux vers ses corn-flakes.

— Je n'aurais rien contre, dit-elle. Et toi ? Tu viendrais, cette fois ?

— Excellente idée, assura Mme Figg.

— Tout à fait d'accord, approuva Figgy. Une idée super.

— Euh, je vois mal comment, s'empressa d'objecter Peter. Malheureusement, je suis pris toute la journée... Demain ou après-demain, peut-être.

— Ce serait pourtant gentil, reprit sa mère, d'essayer de faire en sorte que le séjour de Lavinia soit le plus agréable possible. Je dois dire que Michael s'y emploie de son mieux. Et quand on pense qu'en plus il a nettoyé ton vélo à ta place, Peter, même si je ne m'explique pas très bien cet élan de générosité...

— Je t'assure, s'entêta Peter, aujourd'hui, je ne peux vraiment pas. Je te l'ai dit, ma journée est déjà entièrement programmée.

— Tu pourrais sûrement la déprogrammer un peu.

— Oh non, surtout pas, intervint Lavinia. Si Peter est trop occupé, ça ne fait rien, ce n'est pas grave.

Pour faire passer la déception, Figgy reprit du jus d'orange. Une fois de plus, son frère se tirait les pattes de l'eau sans se mouiller. On pouvait se demander, en revanche, pourquoi Lavinia souhaitait sa présence.

— Et où comptez-vous aller comme ça ? s'enquit Mme Figg.

Lavinia se tourna vers Figgy.

— Plutôt cet après-midi, tu veux bien, Michael ? J'avais dit à Tatie que j'irais faire les courses avec elle, ce matin.

— Ouais, répondit Figgy. (Son visage s'éclaira soudain.) Ouais, ouais, ça devrait aller au quart de poil.

Il arriva le premier à la cachette. En attendant les autres, il savoura le plaisir d'être là tout seul, au creux de cette souche sombre qui sentait bon le champignon et le bois humide. Le soleil déjà haut faisait monter de l'herbe des odeurs de sève et d'humus. Seul au fond de ce trou, on pouvait être n'importe quoi — un monstre au creux de sa tanière, un prisonnier de guerre évadé, un contrebandier, un passager clandestin dans les soutes d'un navire...

Mais Sniff pointa le nez à la crête du repaire et Figgy redevint Figgy. Lynx et Gibbon suivirent peu après. Rambo arriva bon dernier.

— Voilà, je l'ai, annonça-t-il en tirant de sa poche un bout de papier et un crayon mordillé. Tu signes ici, Figgy.

— Qu'est-ce qu'y a d'écrit ? demanda Figgy, et les autres lui firent écho : Qu'est-ce qu'y a d'écrit ? Qu'est-ce qu'y a d'écrit ?

— Savez lire, non ? grogna Rambo.

— Nous, ouais, riposta Lynx, mais est-ce que tu sais écrire, au moins ?

— Toi, fais gaffe à ce que tu dis, prévint Rambo.

Et Lynx se tut.

Figgy fronça les sourcils. L'écriture de Rambo laissait à désirer, son orthographe plus encore.

« *Je sousigné Fig dit que c'était mon idee*

d'enlevez Lavigna et que les autre on seu-
lemant faits ce que je leur es dit. »

— Pas comme ça que mon nom s'écrit, objecta Figgy.

— Et alors ? T'as qu'à corriger. T'as qu'à tout récrire, si ça te plaît pas.

— Non, non.

— Alors tu signes ou quoi ?

— Je signe.

Figgy inscrivit son nom au bas de la feuille, et Rambo fourra le « contrat » dans la poche de son blouson.

— Je croyais qu'il fallait qu'il signe de son sang ? insinua Lynx.

— Toi, il me semble qu'on t'a demandé de la boucler, rappela Rambo. Bien, maintenant il faut qu'on décide du jour où on fait ça.

— Cet après-midi, annonça Figgy.

— Cet après-midi ?

Ils en restaient pantois.

— Oui, dit Figgy, cet après-midi. Je suis censé l'emmener se balader, cet après-midi. Et demain, c'est son anniversaire, je pense pas qu'on ait des chances de pouvoir le faire, et après ça...

— Bien, dit Rambo. Tout le monde est libre, cet après-midi ?

Apparemment, tout le monde l'était — sauf Lynx qui restait évasif. Il marmottait vaguement qu'il *pensait* l'être, et pour finir Rambo perdit patience :

— Bref, t'es libre où tu l'es pas ?

— Euh, oui, je crois, avoua Lynx.

— Tu pouvais pas le dire clairement ? Autre question : cette clé, tu peux nous la procurer, *oui ou non* ?

— Oui, mais... mais il faudra que je la récupère pour cinq heures et demie, parce qu'à six heures mon père rentre à la maison.

— Entendu, dit Rambo. Qu'est-ce qu'il nous faut d'autre ?

— Des masques, rappela Sniff. Qu'est-ce qu'on va se mettre, comme masques ?

— Ma sœur a des tonnes de vieux bas, proposa Gibbon. Jamais elle les jette. Je pourrais lui en piquer deux ou trois paires.

— Parfait, assura Rambo. On les coupe à la cheville et on se les enfile sur la tête. J'ai vu ça à la télé au moins vingt fois.

— Berk ! s'écria Sniff.

— Quoi, berk ? demanda Gibbon.

— Pas envie de me fourrer la tête dans des vieux bas à ta frangine.

— Qu'est-ce qu'elle a qui te défrise, ma sœur ? Elle prend une douche tous les jours. C'est plus que toi en un mois !

— Lui ? ricana Lynx. Bien beau s'il en prend une par an, ouais !

— Même pas vrai, s'indigna Sniff. Ma mère m'oblige à prendre un bain tous les dimanches.

Lynx plissa le nez.

— Ah ? On dirait pas.

— Comment ça ? riposta Sniff en serrant les poings.

— C'est fini, oui ? jappa Rambo, et le silence se fit. D'accord, Gibb. Tu nous apportes quatre vieux bas — cinq, au cas où on en louperait un.

— Moi, grommela Sniff, je mettrai jamais ça sur ma tête.

Les autres firent la sourde oreille.

Ils s'efforcèrent de réfléchir à leur panoplie de ravisseurs. Il leur faudrait un foulard pour bander les yeux de la victime, et une longueur de corde pour lui attacher les mains, ceci afin de l'empêcher d'enlever le bandeau susdit. Rambo assura qu'il se chargerait du foulard, Sniff accepta de fournir la corde. Ils en étaient à mettre au point le déroulement de l'opération lorsque Figgy se frappa le crâne.

— J'y pense ! Elle va crier. Quelqu'un risque de l'entendre. Le vieux pépé de l'autre soir, ou quelqu'un d'autre.

— Pas un problème, décida Rambo. On la bâillonne. Oui, mais avec quoi ?

— Le mieux, déclara Sniff, c'est le sparadrap. C'est rapide et ça colle bien.

— Quelqu'un a du sparadrap ? demanda Rambo à la cantonade.

— A la maison, se souvint Figgy, on n'a que des pansements prédécoupés. Mais je ne crois pas qu'il y en ait d'assez gros pour la bouche de Lavinia. Elle a une grande bouche.

Ils s'accordèrent sur un second foulard pour bâillonner la victime.

Leur plan était simple et précis. Figgy emmènerait Lavinia se promener du côté des Lopins. Les autres guetteraient leur arrivée depuis le fossé, non loin de la brèche dans la haie. Au niveau du troisième prunellier, Figgy dirait à Lavinia qu'il a perdu son canif, qu'il pense l'avoir laissé tomber vers l'entrée, et il s'éloignerait en courant. Dès qu'il aurait disparu, les quatre sauteraient sur la victime, la bâillonneraient, lui banderaient les yeux, la traîneraient jusqu'à la cabane du grand-père de Lynx. Puis ils fileraient se cacher dans la souche et Figgy les y rejoindrait en attendant l'heure de « délivrer » sa cousine. Vers quatre heures, quatre heures et demie, toute l'affaire serait bouclée. Lynx aurait largement le temps d'aller remettre la clé en place.

— J'espère qu'il y a des tas d'araignées dans la cabane de ton grand-père, conclut Figgy.

— Ah, pourquoi ?

— Lavinia en a une peur bleue. Même en photo, ça la fait hurler.

— Pour les araignées, dit Rambo, on verra. Mais n'oublie pas de laisser les foulards dans la cabane, que je puisse les rapporter à temps à la maison, moi aussi. Je ne crois pas que ma mère serait ravie si elle découvrait que je les ai pris.

Emmener Lavinia le long de la rivière, puis jusqu'aux Lopins se révéla un jeu d'enfant. Le trajet fut même très bref, bien trop bref pour Figgy, pris d'un malaise grandissant. La mise au point

du complot, le matin même, s'était achevée dans la fièvre. Les garçons, surexci-
tés, avaient fini par prendre un fort
accent américain (ou ce qui leur semblait en être un) pour régler les derniers
détails. Mais à présent Figgy n'était plus
si sûr de lui, plus si sûr que le jeu en
valait la chandelle.

A l'entrée des jardins potagers, Lavinia fit observer :
— La pancarte indique « Privé ». Je crois
qu'on ferait mieux de ne pas entrer.
— Bof, pas d'importance, assura Figgy.
En fait, c'est presque permis. Enfin,
disons à moitié... Et c'est pour ça que
c'est drôle, justement.
— Qu'est-ce qui est drôle ?
— D'essayer de traverser sans se faire
repérer. On est comme des Indiens sur
le sentier de la guerre. Allez, viens. Je
passe devant.

Il se glissa à l'intérieur et, plié en
deux, commença à longer la haie en
direction de la cachette. Lavinia le suivit
à regret, soupçonneuse, l'œil aux aguets,
redoutant une fâcheuse rencontre.

Comme ils approchaient de l'endroit
fatidique, Figgy vit la tête de Gibbon sur-

gir par-dessus le talus, puis disparaître aussitôt, comme happée par une force invisible. Plus que jamais Figgy regrettait d'avoir lancé l'opération. Une fraction de seconde, il envisagea même d'y renoncer. Il était encore temps, après tout. Il suffisait de tourner les talons et d'emmener Lavinia ailleurs. Elle n'y verrait que du feu.

Oui, mais le Gang, lui, verrait rouge. Figgy perdrait ses dernières chances d'en faire partie un jour. Et comme il en savait trop long, connaissant leur repaire secret, les autres le lui feraient payer cher.

Il fit donc quelques pas encore, puis récita d'une voix blanche :

— Zut, j'ai perdu mon canif. Il a dû tomber du côté de l'entrée, quand j'ai tiré mon mouchoir de ma poche. Bouge pas, je vais le chercher.

— Je viens avec toi, proposa Lavinia.

— Non, reste ici, je reviens tout de suite.

— Pour chercher quelque chose, tu sais, deux paires d'yeux valent mieux qu'une.

— Non, je t'assure, reste ici. J'ai encore plein de choses à te montrer. Ce serait idiot de te fatiguer à retourner là-bas pour revenir ici aussitôt. Tu ferais bien mieux de t'asseoir et de te reposer en m'attendant.

Il s'élança, espérant avoir mis fin à la discussion.

Lorsqu'il jeta un regard en arrière, il fut soulagé de constater que Lavinia s'était résignée. Assise dans l'herbe, elle tournait le dos au fossé comme pour faciliter les choses. Figgy courut jusqu'à un détour du sentier. Là, enfin hors de vue, il s'arrêta pour reprendre haleine. Son cœur battait la chamade, non d'avoir trop couru, mais sous le coup de l'émotion. Au bout d'une trentaine de secondes, il se glissa derrière une cabane et risqua un coup d'œil pour voir où en étaient les choses.

Justement, le drame se jouait.

Du fossé venaient d'émerger quatre silhouettes coiffées de cagoules (Sniff avait dû se rendre à la raison), ou plutôt trois silhouettes, la quatrième ayant dérapé et redisparu dans le fossé. Ce fut le bruit de sa glissade, sans doute, qui alerta Lavinia, car elle se retourna vivement. Ses attaquants hésitèrent, puis ils se ruèrent sur elle.

Suivant le plan établi, Sniff et Gibbon étaient censés lui saisir les bras, tandis que Rambo lui bandait les yeux et que Lynx la bâillonnait. Après quoi, il ne restait plus qu'à lui attacher les mains dans le dos et emporter le paquet à la cabane. La manœuvre était simple — ou elle aurait dû l'être.

Pour avoir vu Lavinia manier un ballon de football, les garçons auraient dû se douter qu'elle ne se laisserait peut-être pas faire comme une biche apeurée. Quoi qu'il en soit, ils eurent l'occasion d'en faire l'expérience.

Poings, pieds, genoux, tout lui était arme, et arme féroce. En toute franchise, à la voir ainsi en action, Figgy s'avouait heureux d'être en dehors de la mêlée. Il vit Sniff se plier en deux et rouler dans l'herbe en se tordant, il vit Gibbon chanceler, se couvrant le nez à deux mains. Un bref instant, Figgy crut même que la victime allait venir à bout de ses agresseurs réunis, mais pour finir la supériorité numérique triompha. Lavinia dûment bâillonnée, ligotée et les yeux bandés, le quatuor la traîna jusqu'à

la cabane. Lynx ferma la porte à clé. Ouf ! mission accomplie.

— Bon sang ! s'écria Gibbon lorsque Figgy les rejoignit. T'as vu cette furie, un peu ! (Il en vibrait d'indignation.) Elle m'a fait saigner du nez.

Figgy détourna les yeux. Avec ce vieux bas sur la tête qui lui donnait l'allure d'un têtard, et d'un têtard ensanglanté, Gibbon était une figure d'épouvante.

— Chuut ! siffla Rambo très bas. Elle a des oreilles, je vous signale ! Venez ! Et pas un mot jusqu'à la cachette !

Pendant ce temps, dans la cabane, Lavinia menait une valse d'enfer. Bing, bang, bong ! Elle devait lancer des coups de pied dans tout ce qui était à sa portée. On entendait dégringoler des outils, des bidons, des boîtes. Des sacs de terreau ou d'engrais s'écrasaient mollement au sol. Les murs de la cabane en tremblaient. Lynx fit la grimace.

— Nom d'un chien, elle va tout casser !

Rambo eut un geste d'impuissance.

— On va pourtant pas la libérer déjà ! Bof, elle fait sans doute plus de bruit que de mal. Ouste, j'ai dit. A la cachette.

De retour à leur quartier général, les combattants examinèrent leurs blessures et commentèrent l'opération.

— Moi, résumait Lynx, je l'avais dit dès le début : le plus dur, on se l'est farci, nous, et lui (il désignait Figgy), il a le beau rôle. Alors que les risques, en principe, c'était pour lui !

— Exactement, approuva Sniff qui se massait le tibia. En plus, quand elle cogne, tu parles d'une teigne !

— En tout cas, prévint Lynx, s'il y a de la casse dans cette cabane, moi je dis tout !

— Je vous ferai remarquer, insinua Sniff, qu'avant de se pointer Figgy a attendu qu'elle soit enfermée.

— C'est ce qu'on avait dit, se défendit Figgy. Vous, vous étiez masqués. Moi pas.

— Tu aurais très bien pu te mettre un bas sur la tête aussi.

— Elle m'aurait reconnu quand même. Elle me connaît trop. Sans parler de mes habits. Fallait que je me change, aussi ? Surtout que je vais aller la libérer, après ça. Et ne t'en fais pas : pour ce qui est des ennuis, j'en aurai. Parce que j'aurais dû être là quand vous l'avez attaquée.

— J'espère bien que t'en auras, des ennuis, marmonna Lynx, rancunier.

L'échange d'amabilités se poursuivit tandis que se traînaient les minutes. La demie de trois heures y mit fin : c'était le moment convenu pour la libération de la captive.

Figgy se hissa seul hors de la souche. Les autres restaient là, camouflés, par mesure de sécurité. Ils gagneraient la cabane à leur tour dans une vingtaine de minutes, afin de récupérer les foulards et la clé.

Tout en cheminant le long du fossé, Figgy répétait dans sa tête ce qu'il allait dire à Lavinia.

En approchant de la cabane, il nota que la victime avait cessé de donner des coups de pied. Elle s'était résignée, sans doute. On n'entendait plus rien du tout. Il contourna l'édicule, qu'il abordait par l'arrière, et c'est seulement lorsqu'il passa l'angle qu'il comprit.

La porte était grande ouverte. Et la cabane était vide.

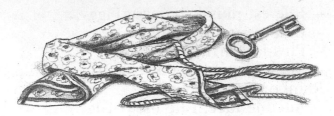

7. La victime pose
ses conditions

Figgy entra, les jambes molles, et balaya du regard l'intérieur dévasté. De Lavinia, nulle trace.

Comment avait-elle fait pour s'évader ? Et surtout, surtout, que faisait-elle à l'instant même ?

Elle était en train de tout rapporter, bien sûr. Figgy crut défaillir. Cette fois, c'en était fait de lui. Il fut pris d'une impulsion : fuir, oh ! fuir jusqu'au fin fond d'un désert et ne plus réapparaître.

En attendant, il courut d'une traite à la souche.

— Qu'est-ce que tu veux, encore ? gronda Rambo.

— Elle est plus là, coassa Figgy.

— Comment ça, « plus là » ?

— Plus là. Partie.

— Mais alors, où elle est ? bredouilla Rambo.

— Aucune idée. Elle est partie.

— Tout raconter à la police, je parie, diagnostiqua Sniff.

— Oh nooon !

Il y eut un silence. Chacun tendait l'oreille, guettant le hurlement des sirènes, les jappements des chiens policiers.

— C'est sa faute ! s'écria Lynx en foudroyant Figgy du regard. D'ailleurs c'est écrit sur le papier.

— Ouais, confirma Rambo, tapotant sa poche. C'est toi qui as tout organisé. Tout est ta faute.

Pour le coup, Figgy vit rouge.

— Ma faute, peut-être. Mais vous n'y êtes pas pour rien non plus. Si on m'attrape, je dirai qui m'a aidé. Je dirai qui m'a fourni la clé. Je dirai...

— La clé ! s'étrangla Lynx. Faut que j'aille la reprendre ! Vous venez, les gars ?

Mais les autres restaient au fond de la souche sans faire mine de bouger.

— Je vous préviens, menaça Lynx. Si j'ai des ennuis, je dis tout ! Toi, Gibbon, je dirai à ta frangine que tu lui as piqué ses bas. Et je dirai, parce que c'est vrai, que moi je voulais même pas entrer dans la combine, pour commencer !

Une vive discussion s'ensuivit ; ils parlaient tous à la fois. Pour finir, Sniff fit observer :

— Vous savez, on perd du temps. On ferait bien mieux d'aller tous là-bas, histoire de récupérer la clé et le reste.

— Quel reste ? voulut savoir Gibbon.

— Les foulards de Rambo, mon bout de ficelle, tout ça.

Rambo se dressa comme un ressort.

— M..., j'avais oublié ! Faut y aller, et vite ! Pas question de laisser d'indices.

Dans le désordre, ils évacuèrent la souche et filèrent à la cabane, le cœur battant. Lorsque Lynx vit dans quel état était l'intérieur, il fut à deux doigts de pleurer.

— Vite, il faut tout remettre en place ! Si mon père voit ça, on est bons.

— Au boulot, les gars, l'approuva Sniff. Si quelqu'un vient, il faut que tout ait l'air normal.

— Ouaip, répéta Rambo, pas d'indices.
Où sont mes foulards, Figgy ?

— Comment veux-tu que je le sache ?

— Je les vois nulle part.

Mais Lynx poussa un cri :

— La clé ! Elle a disparu ! Elle est pas sur
la porte !

— Quoi ?

— Elle est peut-être par terre.

— Elle est bien quelque part.

Parmi la jonchée d'outils, les sacs et
les bidons tombés des étagères, ils cher-
chèrent la précieuse clé. En vain. Elle
s'était envolée — ainsi que les foulards
de Rambo, et le bout de corde de Sniff.

— Qu'est-ce que je vais faire, moi ? pleur-
nichait Lynx.

— La boucler, pour commencer, lui dit
Rambo. C'est de ta faute, tout ça, Figgy.
Si t'avais délivré ta cousine comme on
avait dit, rien de tout ça ne serait arrivé.

Figgy renonça à discuter.

— Et maintenant, dit-il seulement,
qu'est-ce qu'on fait ?

— On commence par tout remettre en
place, on verra ensuite.

— Oui, et après ça, suggéra Sniff, il vaudrait mieux que Figgy essaie de voir où

est passée sa cousine. Combien je parie que la police est déjà chez lui. Ensuite, on pourrait se retrouver, et...

— Se retrouver, surtout pas ! se récria Rambo. Pas question de nous faire voir ensemble. La suite de l'histoire, à mon avis, on la saura bien assez vite.

Lynx continuait de gémir :

— La clé, la clé. Qu'est-ce que je vais faire, moi, sans la clé ?

Mais les autres estimaient avoir leur part d'ennuis. Ils le laissèrent gémir tout son soûl et s'attaquèrent au rangement.

La dernière boîte d'antilimaces redressée à la verticale, le Gang se dispersa sans un mot et chacun regagna ses foyers.

Ce n'était pas la première fois que Figgy redoutait de rentrer à la maison, mais jamais sans doute il n'avait tant frémi à cette perspective. Lorsqu'une voiture de police le doubla, il s'attendit presque à la voir se ranger le long du trottoir. Il s'imaginait déjà les menottes aux mains. Un enlèvement, c'était un acte criminel, et un grave. Encore heureux, ils n'avaient pas laissé de demande de rançon.

Avant de tourner rue Stanley, il jeta un coup d'œil prudent en direction du numéro 17. Mais aucun véhicule suspect ne patrouillait aux environs, aucune silhouette en uniforme ne montait la garde au portail. Tout semblait normal et calme. Peut-être étaient-ils tous au commissariat ? Figgy se glissa dans la cuisine.

Lavinia était là, attablée devant un livre ouvert, en train de grignoter des biscuits.

— Ah, c'est toi. Salut, lui dit-elle. Tu as retrouvé ton canif ?

Incroyable. A la voir assise là, vêtue de frais, les joues roses, les cheveux brossés, nul n'aurait voulu croire qu'elle venait d'être victime, moins d'une heure auparavant, d'une sauvage agression.

— Mon canif ? bégaya Figgy.

— Tu sais bien, tu l'avais perdu. Tu es allé le chercher, tu ne voulais surtout pas que je vienne. Tu te rappelles ?

— Oui.

— Oui tu te rappelles, ou oui tu as retrouvé ton canif ?

— N... non. Je veux dire, je ne l'avais pas perdu. Il était dans ma poche, pour finir.

— Bonne nouvelle. Tu veux un biscuit ?

— Non merci.

— J'ai fait deux ou trois trouvailles, cet après-midi.

— Ah ? bredouilla Figgy, les jambes flageolantes.

— Tu ne devines pas ce que c'est ?

— Euh, non...

— En voilà déjà une, annonça Lavinia.

Elle tira un objet de sa poche et le déposa sur la table.

— C'est une clé, dit Figgy.

— Brillant, le félicita Lavinia. Tatie se trompe sur ton compte ; tu as l'esprit vif. Je le lui dirai. Et ça, à ton avis, qu'est-ce que c'est ?

Elle déposait sur la table les deux foulards de Rambo et le bout de corde de Sniff.

— Crénom, murmura Figgy.

— Franchement, Michael ! Tes amis et toi — il faut le voir pour y croire ! Il y a une demande de rançon quelque part, j'imagine ?

— Oh non, absolument pas, affirma

Figgy. On devait te libérer à trois heures et demie. Je te jure.

— Désolée de n'avoir pas attendu jusque-là. J'ai gâché votre petit jeu, si je comprends bien.

— Qui t'a fait sortir ?

Elle se mit à rire.

— Qui ? Moi, pardi. Pour commencer, je conseillerai à celui qui m'a attaché les mains de faire un peu de voile ou un camp de vacances ; il en saura plus long sur les nœuds. Ensuite, permets-moi de te dire, la prochaine fois que tu enfermes quelqu'un, ne laisse pas la clé sur la porte. C'est connu. Je l'ai fait tomber avec un tournevis, et je l'ai attrapée par dessous — tu as remarqué l'espace, un peu ? Je vais te dire : quand je t'ai vu passer le bout du nez à l'angle d'une cabane, mine de rien, alors que tu étais censé chercher ton canif, je me suis douté de quelque chose. A une seconde près, Rambo et sa bande loupaient leur petit numéro.

— Comment tu sais que c'est eux ?

— Ils ne sont pas restés précisément muets.

— Tu l'as dit à Maman ?

— Bien sûr que non.

— Tu comptes le lui dire ?

— Bien sûr que non.

Figgy n'osait pas en croire ses oreilles. Pour un peu, elle lui aurait presque paru sympathique.

— Oh merci ! s'écria-t-il dans un élan de gratitude. Tu veux bien que j'aille rapporter sa clé à Lynx, qu'il puisse refermer la cabane avant le retour de son père ? Autrement, il risque de lui arriver des bricoles. Et Rambo voudrait les foulards de sa mère, aussi. Le bout de corde, je crois que tu peux le garder.

Mais Lavinia avait remis la main sur ses prises de guerre.

— Un, dit-elle, ne me remercie pas trop vite. Et deux, ça dépend. Je pose mes conditions, si tu permets.

Figgy se raidit. Des conditions ?

— Lesquelles ?

— Oh, c'est simple. Je veux bien rendre la clé et les foulards et la corde, mais j'exige d'abord des excuses.

Figgy eut un petit sursaut.

— Tu sais, Rambo ne s'excuse jamais. Il ne dit jamais pardon à personne, même pas à la maîtresse, alors... Et en plus, il y a le contrat.

— Le contrat ? C'est-à-dire ?

— Ils m'ont fait signer un papier comme quoi c'était mon idée et tout.

— Et ça l'était ?

— Au départ, d'une certaine façon. Il fallait que je fasse quelque chose de risqué, tu comprends. Pour faire partie du Gang. Et si Rambo se fait accuser, il se dépêchera de montrer ce papier.

L'idée parut amuser Lavinia.

— Et tu crois vraiment qu'un papier écrit par l'un de vous y changerait grand-chose ? Tu crois qu'il impressionnerait qui que ce soit ? Vous, les garçons, décidément...

— On ne sait jamais, s'obstina Figgy.

— Parfait, décida Lavinia. En ce cas, Rambo et ses compères me refileront ce papier en même temps qu'ils me présenteront leurs excuses. Et tu pourras leur dire, enchaîna-t-elle pour couper court aux objections qu'elle sentait venir, que s'ils refusent je parlerai. Et ils risquent de la sentir passer : quatre garçons qui s'en prennent à une fille sans défense...

Figgy se retint de protester. Lavinia, une fille sans défense ?

— Bref, ce sont mes conditions : des excuses, et ce fameux contrat. Si j'étais toi, je ne lanternerais pas, Michael. Surtout si tu veux que cette clé soit à sa place en temps voulu. Dis-leur de venir me retrouver sur le lieu du crime à... (elle consulta sa montre)... à cinq heures précises. S'ils n'y sont pas, je raconterai tout à Tatie et oncle Dan.

Figgy partit au petit trot et parvint à persuader les autres, par la supplique et la menace, de le suivre aux Lopins. Tout le long du chemin, Sniff et Rambo ne cessèrent de l'accuser d'avoir vendu la mèche.

— Puisque je vous dis que non ! se défendait Figgy. C'est elle qui vous a reconnus !

— Menteur, grondait Rambo.

— Oh, la barbe, finit par dire Lynx. Moi, ce qu'elle sait et ce qu'elle veut, je m'en balance. Du moment que je récupère cette clé...

— La voilà ! dit soudain Figgy.

Ils se turent et la regardèrent s'avancer vers eux le long du sentier.

— Ah, dit-elle en arrivant, le commando de Kirkston !

— Comprends rien à ce qu'elle dit ! grommela Sniff.

— La ferme, lui souffla Rambo.

— Alors ? reprit Lavinia. Michael vous a dit ce que j'exige avant de vous rendre certains petits objets ?

— Et si on te les prend de force, hein ? lui lança Rambo. T'auras l'air maligne.

— Oh, c'est vous qui aurez l'air malins, répondit Lavinia, suave. Encore plus malins que maintenant, et ce n'est pas peu dire.

— T'occupe, Rambo, s'enhardit Lynx. Moi, je veux cette clé, et vite.

— Pas de problème, lui dit Lavinia. J'attends. Par quoi commençons-nous ? Par le contrat, je pense. Il me faut ce contrat.

Elle tendit la main.

Rambo lança à Figgy un regard sombre, puis il extirpa de sa poche un bout de papier sale qu'il plaqua dans la main de Lavinia.

— *Mamma mia !* s'écria Lavinia en parcourant des yeux le billet. Vu l'orthographe, je vois mal un adulte tenir compte de ce document. A la limite, ça pourrait signifier n'importe quoi. Il y a quelqu'un qui aurait bien besoin de faire un peu de grammaire et de dictées, à mon avis.

Rambo grinça des dents. Figgy avait souvent lu des récits où il était question de gens qui grinçaient des dents, mais c'était la première fois qu'il entendait ce son pour de bon. Ce n'était pas très rassurant.

La tête que faisait Rambo n'était pas rassurante non plus.

— Et maintenant, poursuivit Lavinia, les excuses. Qui commence ? Toi, je pense, Michael. D'abord, c'était ton idée. Et je suis ta cousine.

— Hmm, pardon Lavinia, murmura Figgy.

— Et maintenant, à vous.

Un à un, Gibbon, Sniff et Lynx murmurèrent « Pardon » dans leur barbe. Rambo hésita longuement. Lavinia le toisait sans battre d'un cil. Les autres retenaient leur souffle.

— Pardon, dit-il enfin très bas.

— Merci, leur dit Lavinia. Vos excuses sont acceptées. Et ceci vous appartient.

Rambo lui arracha des mains les foulards de sa mère, Lynx prit la clé prestement et courut fermer la cabane. Lavinia se tourna vers Figgy.

— On ferait bien de se dépêcher, maintenant, si on veut être à l'heure pour le thé.

Déjà, elle s'éloignait d'un bon pas.

— Elle me le paiera ! jura Rambo d'une voix sourde. Et toi aussi, Figgy, tu me le paieras !

— Pas ma faute, plaida Figgy. Que voulais-tu que je fasse ?

— Et le contrat, hein ? hein ? Elle a deviné qu'il existait, peut-être ? Si tu n'avais pas eu la langue trop longue, comme toujours...

Sniff et Gibbon ne se montrèrent pas plus tendres.

— Active tes petites jambes, moustique, ou tu vas manquer le thé !

— Qu'est-ce que t'attends pour rattraper ta petite chérie ?

— T'as intérêt à rester sous son aile, ajouta Rambo, qu'elle te défende si des gros bras t'attaquent !

— Je sais me défendre tout seul.

— Ah ouais ?

166

— Ouais, parfaitement !

Les poings se serraient, les épaules se carraient. Il y avait de la bagarre dans l'air.

— Tu me cherches ? provoqua Rambo. Cogne-moi dessus un peu, pour voir !

— Lui ? ricanaient les autres. Il va détaler, oui !

Mais Figgy, piqué au vif, n'entendait pas détaler. Et l'issue du combat n'aurait fait aucun doute si un rugissement vaguement familier ne les avait tous figés sur place.

— Graine de voyous, je vous reconnais ! Je vous ai prévenus, l'autre jour ! M'en vais ficher une de ces raclées au premier que j'attrape, z'allez voir !

Armé d'une binette à long manche, le vieil homme chargea les intrus comme il avait chargé en Belgique, quelque soixante-dix ans plus tôt, les troupes du Kaiser germanique. Affolés, les garçons s'égaillèrent dans toutes les directions comme une volée de moineaux.

8. Epreuve de force

A l'heure du thé, Mme Figg ne parut rien remarquer d'anormal. Certes, Figgy avait l'air sombre, mais n'était-il pas d'un naturel renfrogné, aux repas en particulier ? Lorsqu'elle s'informa de leur après-midi, Lavinia répondit qu'ils étaient allés se promener et qu'ils avaient rencontré des amis de Figgy. Décidément, c'était une chic fille.

— Et maintenant, reprit Mme Figg, parlons un peu de cet anniversaire. Ton oncle et moi avons eu une idée. Demain soir, place Waterloo, il y a une fête foraine. Que diriez-vous d'aller y faire un tour ? Naturellement, je ne pense pas que vous teniez à traîner à vos basques de vieux casse-pieds comme nous, alors c'est Peter qui vous accompagnera.

— Désolé, commença Peter, mais justement, demain soir, je suis...

— Demain soir, tu n'es rien du tout, coupa son père. C'est l'anniversaire de Lavinia et c'est sa dernière journée avec nous, et tu feras un petit effort pour que ce soit une belle journée.

— Et pour que vous puissiez en profiter, enchaîna Mme Figg, nous vous donnerons douze livres*. Avec ça, vous devriez pouvoir tester à peu près tous les stands et tous les manèges. A votre retour, nous aurons un grand dîner d'anniversaire.

— Avec un diplomate ? s'enquit Figgy.

— Je n'en serais pas étonnée. Mais je croyais que tu n'aimais plus ça ? Tu n'en as même pas repris, l'autre jour.

Un tour à la fête foraine et un diplomate pour couronner le tout ! D'accord, il faudrait supporter Peter, et il y aurait toujours Lavinia. Mais d'un autre côté, une fille comme elle n'aurait sans doute peur de rien — ni du grand huit, ni de la

* Environ 150 francs.

chenille verseuse, ni du train de l'épouvante...

— Je ne me trompe pas, dit Mme Figg à
ses fils lorsque Lavinia eut quitté la
pièce, vous avez bien prévu chacun un
petit quelque chose à offrir à votre cousine, à l'occasion de son anniversaire ?

Leur mimique fut éloquente.

— Vous n'avez pas honte ? Comment
peut-on être aussi radin ? Demain matin,
à la première heure, vous irez chacun
lui acheter un petit présent. Ce n'est pas
comme si vous ne receviez pas d'argent
de poche !

Ici, le respect de la vérité oblige à
révéler un petit détail sordide : Figgy
avait horreur de dépenser ses sous, en
particulier pour autrui. Il préférait, et
de loin, compter et recompter sa fortune, empiler les pièces en tourelles
étincelantes, faire crisser les beaux billets neufs qu'il rangeait précieusement
dans le portefeuille de cuir reçu pour
son dernier Noël. La perspective de se
défaire d'une partie de son trésor au
bénéfice de Lavinia ne l'enchantait
guère plus qu'une visite chez le dentiste.

D'ailleurs, que pouvait-on offrir à une fille ?

Le grand jour se leva. Cartes et lettres enrubannées se déversèrent dans la boîte aux lettres. Divers paquets envoyés d'avance sortirent de leur cachette. Autour d'un petit déjeuner plus copieux que d'ordinaire, Mme Figg entonna (et força ses garçons à bourdonner) : « Joyeux anniversaaaire, joyeux anniversaaaire ! » Après quoi Figgy se faufila dans la rue, en route pour la corvée du jour : acheter un cadeau pour sa cousine.

Au coin de la rue, à son désarroi, il tomba sur Rambo embusqué derrière une boîte aux lettres.

— Hey, Figgy !

Figgy hésita. Rambo n'avait-il pas juré pas plus tard que la veille au soir que Figgy « le lui paierait » ?

— Figgy, insistait Rambo. Viens par ici, je voudrais te parler.

Figgy s'approcha à regret.

— Voilà, dit Rambo, j'ai réfléchi. Je trouve qu'on a été vaches, finalement,

172

avec ta cousine. Alors qu'elle a été chic.
Elle aurait pu cafter, tu crois pas ?

— Si.

— Alors je me suis dit... Bon, tu vas trouver ça bête, mais... Je lui ai préparé un
petit cadeau. Tu m'as bien dit que c'était
son anniversaire, aujourd'hui, non ?

Il brandissait un petit paquet emballé
à la diable dans du papier kraft fripé,
bien fermé par du ruban adhésif.

— Tu le lui donneras, d'accord ? Ne lui
dis pas que ça vient de moi. Elle voudrait me remercier, tu comprends. Et tu
sais comment je suis. Pas question.

— Qu'est-ce que c'est ? s'informa Figgy.

— Oh, pas grand-chose. Ma bourse est
plutôt plate, tu sais. Tu n'oublieras pas
de lui donner, hein ?

— Entendu, répondit Figgy.

Et il prit le paquet que l'autre lui tendait.

— Allez, salut, à la prochaine ! conclut
Rambo en s'éloignant.

Figgy examina le paquet, perplexe. De
la part de Rambo, le geste était surpre-
nant. Les remords et les regrets
n'étaient guère dans son style, et c'était
bien la première fois que Figgy l'enten-

dait reconnaître ses torts. D'un autre côté, le sourire du repenti avait paru sincère, et le petit paquet était là pour faire foi. Une fraction de seconde, Figgy en eut presque honte. Rambo avait acheté quelque chose pour Lavinia, et ce n'était même pas sa cousine !

Mais une autre idée frappa Figgy presque aussitôt. Il tenait là un cadeau qui ne lui coûterait pas un sou. Il n'y avait aucun nom dessus, et Rambo avait insisté : surtout, Figgy ne devait pas en révéler la provenance. Parfait. Figgy tenait son cadeau ! De toute manière, Lavinia éprouverait le besoin de remercier quelqu'un ; autant ne pas la mettre dans l'embarras.

Qu'avait pu acheter Rambo ? Le paquet était très léger. Figgy le secoua. Rien ne dansait à l'intérieur. Mystère, mystère, mais qu'importait ? Ce qui comptait, c'était de faire taire Maman. N'importe quoi pour avoir la paix, M. Figg le disait souvent.

Par souci de vraisemblance, Figgy traîna dans les rues pendant une petite demi-heure, afin d'avoir au moins l'air d'être allé jusqu'au centre ville. Puis il revint triomphalement.

— Ah ! s'écria sa mère, je crois bien que c'est encore une petite surprise pour toi, Lavinia. Oh, Michael, quel vilain paquet. Bah, comme on dit, c'est l'intention qui compte.

— Bon anniversaire, Lavinia, dit Figgy en tendant son offrande.

Elle le remercia d'un brillant sourire.

— Oh, merci ! Qu'est-ce que c'est ?

— Pas grand-chose, répondit Figgy qui se souvenait de ce qu'avait dit Rambo. C'est seulement pour... pour faire oublier hier, tu comprends.

— Hier ? s'écria sa mère, soupçonneuse. Que s'est-il donc passé, hier ?

— Oh rien, Tatie, dit Lavinia. Rien qu'un petit secret entre nous.

Et, sur un coup d'œil complice à l'intention de Figgy, elle entreprit de défaire le paquet. Sous le regard curieux de sa tante et de son cousin, elle déplia le papier et en sortit une petite boîte en carton, dépourvue de toute indication quant à son contenu.

— Qu'est-ce que ça peut bien être ? dit-elle, l'œil luisant, tout en soulevant le

175

couvercle. C'est vraiment le grand suspense...

La seconde d'après, le grand suspense
s'était changé en horreur absolue, à en
juger par son cri perçant. Paralysée de
terreur, elle tenait la boîte à bout de
bras et fixait son contenu, comme hyp-
notisée, prête à suffoquer de terreur.
— Qu'est-ce que c'est donc ? s'écria sa
tante en lui prenant la boîte des mains.

A son tour, elle poussa un cri en
découvrant ce qu'elle tenait là et resta

176

clouée sur place. Figgy allongea le nez pour voir et eut un petit sursaut.

Jamais il n'en avait vu d'aussi grosse.

Plus tard, il se demanda où Rambo l'avait trouvée. Elle était énorme, et noire, et velue, tout à fait comme celles qui vous grimpaient aux jambes dans les films d'épouvante. Recroquevillée dans un coin de sa boîte, elle était sans doute aussi terrorisée que Lavinia et, si les araignées avaient su crier, nul doute qu'elle eût poussé des hurlements stridents. Faute de quoi, elle choisit de se donner la liberté. Tricotant des pattes avec fièvre, elle parvint à franchir le mur de sa prison et poursuivit son évasion sur la main qui tenait la boîte.

Pour Mme Figg, c'en était trop. Elle poussa un second cri et secoua le poignet avec frénésie. Boîte et araignée rejoignirent le sol. A la vue de la bestiole en liberté sur le carrelage, Lavinia redoubla de hurlements. L'araignée fila sous l'évier et Mme Figg, recouvrant son sang-froid, emmena sa nièce au jardin. Là, toutes deux reprirent leurs esprits tandis que Peter, venu aux nouvelles, s'élançait héroïquement à la chasse à l'araignée. Il finit par écraser l'ennemi sous un magazine plié en deux, non sans proclamer à voix haute qu'en bonne justice c'était Figgy qui eût mérité ce traitement.

— Et que je t'y reprenne à jouer des tours aussi stupides ! s'écria Mme Figg en saisissant son plus jeune fils par une oreille.

Et elle lui administra une de ces fessées magistrales dont le tour de main s'est perdu, hormis dans les meilleures maisons d'Angleterre.

Figgy hoquetait, au désespoir :
— Mais je savais même pas que c'était une araignée !

— A d'autres ! lui dit sa mère. Et tu l'as donnée à Lavinia.

— Mais c'est pas moi, justement. C'était Rambo.

Penaud, entre deux sanglots, il confessa toute l'histoire.

— Ma foi, conclut Mme Figg, tu as eu ce que tu méritais. Quant à Rambo-Archibald, il ne perd rien pour attendre. Je vais appeler sa mère et, telle que je la connais, Mme MacIntosh ne le laissera pas s'en tirer comme ça.

Lavinia regagnait la pièce avec un sourire gêné.

— Je suis désolée, Tatie. C'est complètement idiot, je sais. Il n'y avait pas de quoi faire un cirque pareil, mais j'en ai tellement horreur que...

— N'y pense plus, va, n'y pense plus. Au moins, il ne semble pas que Michael ait voulu te faire peur. Simplement, radin comme il est, il a cru tenir une bonne affaire et s'est fait rouler comme au coin d'un bois. Il mériterait d'être privé de foire, mais comme c'est ton anniversaire nous passerons l'éponge, pour une fois. Qu'aimerais-tu manger, ce midi ?

Figgy comptait passer un après-midi tranquille, perché dans son pommier avec une provision d'illustrés, à l'abri de tout reproche et de toute tentation fâcheuse. Il descendait l'escalier avec une vieille collection de *Mickey*, lorsqu'il se retrouva nez à nez avec son frère qui l'attendait au bas des marches.

— Ah, petit frère, j'ai deux mots à te dire. Demain, l'adorable Lavinia nous quitte.

— Et alors ?

— Et alors, par pure bonté d'âme, je te signale que j'ai placé certain billet de ta connaissance à un endroit où Maman est sûre de le trouver avant ce soir.

— Espèce de vieille ordure !

— Je fermerai les yeux sur cette appellation injurieuse, et je te donnerai même un indice...

— Lequel ?

— ... si tu consens à renettoyer mon vélo, que la balade d'avant-hier a couvert de poussière une fois de plus. Je passerai te voir dans la remise d'ici... combien ? Mettons une heure, et si ma bécane est impec je t'accorderai une dernière chance.

Echaudé par les tristes événements de la matinée, Figgy choisit de filer doux. Mais tout son être criait vengeance. Dès que Lavinia serait partie, oui, dès qu'elle serait partie, il prendrait sa revanche. Tout le temps qu'il dépoussiéra, briqua, astiqua le vélo de son frère, Figgy réfléchit à cette revanche et la savoura d'avance.

Une heure après, comme promis, Peter vint inspecter le travail.

— Voyons voir. Pas mal, pas mal. Il faut dire ce qui est, tu sais nettoyer un vélo. Moi même n'aurais pas fait mieux.

— Evidemment, insinua Figgy. Tu manques d'entraînement. Alors, et mon indice ?

Peter poussa un soupir.

— En fait, c'est plutôt un conseil. Ne te laisse pas abattre, petit frère. Il reste une chance sur un million que Maman n'y voie que du bleu. (Les mains dans les poches, il s'éloignait en riant.) Merci pour ton aide précieuse, ces jours-ci...

— Mais tu avais dit que tu me donnerais un indice ! s'offusqua Figgy. Tu l'avais dit ! Espèce de vieille peau de vache !

C'était bien Peter. Vachard comme pas deux. Il ne restait qu'une solution : trouver où il avait niché ce billet.

Au lieu de se prélasser dans le pommier, Figgy passa le reste de l'après-midi en recherches : à l'étage tandis que sa mère s'activait au rez-de-chaussée, au rez-de-chaussée tandis qu'elle passait l'aspirateur à l'étage. Il fouilla partout, partout. Derrière les chandeliers, sur la cheminée, là où on glissait les factures et les papiers importants ; dans le buffet de la cuisine, dans les placards de la salle d'eau, et jusque dans le frigo. En vain. D'un instant à l'autre, aux abois, il s'attendait à entendre le cri d'indignation maternel qui indiquerait sans coup férir que sa mère avait mis la main sur le corps du délit. Mais rien ne vint.

Et Lavinia ? Anniversaire ou pas, elle fut un ange jusqu'au bout. Tout l'après-midi, elle seconda sa tante aux soins du ménage, et c'est même elle qui plaça le linge dans la machine à laver pour la lessive de la journée tandis que Figgy, au désespoir, explorait en dernier ressort l'intérieur de la chasse d'eau.

Le soir tombait doucement lorsqu'ils se mirent en route pour la fête foraine. La magie de la fête, disait Mme Figg, venait pour moitié des lumières colorées dans la nuit, et comme Peter serait là pour veiller sur eux, elle n'avait aucune inquiétude. Comme ils approchaient de la place, Figgy se dit que sa mère n'avait pas tort. C'était joli, tous ces lampions, et les stands les plus minables – ceux où on gagnait des poupées, par exemple — se paraient d'une sorte de grâce, illuminés dans le soir tombant.

Figgy et Peter, bien sûr, faisaient assaut de silence, et les réponses de Peter aux questions de Lavinia restaient d'un laconisme exemplaire. Pourtant, elle avait l'air tout heureuse de cheminer à ses côtés et de lui demander son avis sur les attractions à essayer en priorité.

Figgy ne s'était pas trompé. Hormis les araignées, Lavinia n'avait peur de rien. Elle était prête à tout essayer, du labyrinthe de la mort aux montagnes russes à spirale.

Une heure s'écoula ainsi en tourbillons divers, entre les autos-tamponneuses, le train fantôme et les avions sauteurs, le tout entrecoupé de haltes au stand de la barbe à papa. Mais Peter commençait à soupirer ferme, et à consulter sa montre de plus en plus souvent. Lorsqu'une bande de copains à lui surgit comme par enchantement, il plaqua dans la main de Lavinia ce qu'il restait du pécule fourni par ses parents et annonça :

— Je vous retrouve ici dans une demi-heure, d'accord ?

Lavinia ne cacha pas sa déception mais Figgy grommela « Bon débarras ! » sans presque baisser la voix, et il ajouta aussitôt :

— Si on allait sur les fusées ? On n'a pas encore testé ça.

— Si tu veux, dit Lavinia qui suivait des yeux Peter, flanqué d'une fille aux cheveux verts.

Les fusées spatiales vous secouaient comme des dés au fond d'un cornet. Elles vous faisaient tournoyer dans un sens, dans l'autre, vous jetaient la tête en bas, vous précipitaient vers le sol puis repartaient droit vers le ciel. Pour survivre à pareil traitement, mieux valait avoir l'estomac bien accroché. Lavinia et Figgy sortirent de leur fusée en titubant, heureux d'avoir survécu. Au moins, durant trois minutes, Figgy n'avait plus du tout songé à Lavinia, ni au Gang, ni au billet que Peter avait laissé quelque part en évidence pour leur mère.

— Super ! déclara-t-il. On en refait un

tour ? S'il nous reste assez d'argent, j'aimerais bien.

Lavinia recompta ce qui lui restait en poche.

— Il y en aurait juste assez, mais on n'est pas encore allés sur la grande roue. La vue doit être super, de là-haut.

— Bon, d'accord, on y va, consentit Figgy, grand seigneur.

Après tout, c'était l'anniversaire de Lavinia.

Ils se frayèrent un chemin dans la foule en direction de la grande roue. La tête pleine des merveilles de leur voyage en fusée, Figgy n'aperçut qu'au dernier moment Rambo qui louvoyait vers eux. Un Rambo aux dents serrées qui n'avait pas l'air commode.

Figgy redescendit sur terre pour de bon et empoigna la main de Lavinia.

— Vite, ils sont en train d'embarquer !

Depuis deux ou trois minutes, la grande roue ne tournait plus que de quelques mètres à la fois, afin de laisser descendre les passagers de chaque nacelle tandis que d'autres prenaient leur place. Figgy et Lavinia, essoufflés, arrivèrent juste à temps pour se glisser sur le dernier siège avant le nouveau départ de la roue.

Sur fond du *Beau Danube bleu*, ils s'élevèrent en douceur au-dessus du tintamarre de la fête. Vus de là-haut, les stands ressemblaient à un décor pour train électrique, brillamment illuminé. Mais déjà ils redescendaient en direction du brouhaha, où les parents et les amis restés au sol saluaient les passagers à grands cris en agitant les bras gaiement. Puis ils se sentirent à nouveau emportés vers les étoiles.

Dans la foule, personne ne saluait Figgy et Lavinia au passage. Peter était trop occupé à faire étalage de ses talents aux fléchettes ; quant à M. et Mme Figg, ils regardaient la télévision en attendant leur retour. Seul Rambo les suivait des yeux, tel le matou guettant la souris. Comme ils passaient en bas pour la troisième fois, Lavinia le remarqua enfin.

— Il y a ton cher fier-à-bras, en bas, devant la sortie, souffla-t-elle à Figgy.

— Je sais, répondit Figgy.

Deux fois, trois fois encore, la grande roue les ramena au ras du sol, sous le nez de Rambo qui attendait son heure.

186

Bientôt l'engin les ramènerait sur terre une dernière fois, et ils n'auraient plus qu'à descendre.

Lorsque la roue s'arrêta, Figgy et Lavinia se trouvaient tout en haut. Leur nacelle se balança un instant dans les airs, jusqu'à ce qu'une petite secousse les fît descendre d'un mètre ou deux, le temps pour d'autres passagers de libérer leurs places. Figgy frissonna. Inexorablement, de secousse en secousse, la grande roue les rapprochait du sol – et de Rambo qui les attendait, sûr de son affaire.

– Combien est-ce qu'il nous reste d'argent ? On a peut-être de quoi faire un deuxième tour ? demanda Figgy au désespoir.

Mais Lavinia fit non de la tête.

– Même pas assez pour moi tout seul ? Tu comprends, c'est à moi qu'il en veut...

– Non, répondit Lavinia. Il ne nous reste que dix pence.

– Nom d'un chien, marmotta Figgy.

Et voilà. Ils étaient en bas. L'employé les fit descendre d'un côté et accueillit leurs successeurs de l'autre.

Rambo avança d'un pas et leur barra

le chemin. Il regarda Figgy dans les yeux.

— Viens par ici, un peu, toi. J'ai deux mots à te dire.

— Moi ?

— Oui, toi. Et tu sais pourquoi, espèce de mouchard.

Mais Lavinia se planta devant Rambo.

— Toi, va-t'en, lui dit-elle. On ne t'a pas sonné.

— T'occupe, Lav ! cingla Rambo. C'est à ton petit ami que j'ai affaire.

— Grand lâche, reprit Lavinia. Il est beaucoup plus petit que toi.

— Il est plus petit que tout le monde, de toute manière. N'empêche qu'il a la langue trop longue et que je vais lui apprendre à s'écraser.

Figgy choisit la seule option possible. Il fit un saut de côté, plongea dans la foule et fila. Il se coulait entre les stands, les badauds, les barrières, sous les cordes tendues, les panneaux, sans regarder en arrière. S'il avait fait halte une seconde, il aurait constaté qu'il n'était pas suivi. C'est ainsi qu'il manqua le meilleur de l'épisode, la séquence qui se déroula immédiatement après sa fuite —

et dont les témoins ébahis parlaient encore dans les chaumières plusieurs semaines après les faits.

Rambo s'élança en direction de Figgy. D'instinct, Lavinia lui allongea un croc-en-jambe. Rambo s'étala avec un bruit mat. Jusqu'ici, rien de bien remarquable, mais c'est alors que le spectacle commença.

Rambo se releva en poussant un juron et, fou de colère, il lança un coup de pied en direction de Lavinia. Elle l'esquiva d'un saut de biais, mais elle saisit ce pied par le talon et l'éleva haut, si haut que Rambo, déséquilibré, reprit contact avec le sol, sur le dos cette fois. Eberlué, le souffle court, il resta à terre une seconde. Puis il se releva de nouveau, avec moins de brusquerie, et fonça droit sur Lavinia. Il n'y risqua pas le pied, cette fois, mais lui décocha un violent coup de poing en visant le nez. Lavinia s'inclina de biais et esquiva le coup de nouveau, mais elle attrapa ce bras, se retourna sur elle-même, et Rambo, comme par magie, prit son essor dans les airs avant de se retrouver au sol pour la troisième fois, étourdi, couvert de poussière. Parmi les activités dont avait tâté Lavinia, le judo venait en haut de la liste !

Rambo se releva une nouvelle fois, sous les quolibets des badauds, mais il n'eut pas le temps de repartir à l'attaque. Une main venait de l'empoigner par le col de son blouson, une autre par sa ceinture. Un redresseur de torts volait au secours de Lavinia. C'était Peter, revenu juste à temps pour assister à la dernière prise de judo.

— Bon, et maintenant, assez ri, dit-il en reposant Rambo sur ses pieds. Dégage, tant qu'il te reste des abattis !

Rambo s'essuya le nez d'un revers de manche en étouffant un sanglot et se fondit dans la foule comme un poisson remis à l'eau.

Peter se tourna vers sa cousine.

— Qu'est-ce que c'est que ce ramdam ? Remarque, il faut reconnaître, tu as de la défense, apparemment. Tu aurais dû être un garçon, à mon avis !

A ces mots, Lavinia, qui jusqu'alors avait fait preuve d'un sang-froid exemplaire, éclata en sanglots.

Peter, désemparé, se tourna vers son amie aux cheveux verts.

— Mais qu'est-ce que j'ai dit, Tracey ? Hein, qu'est-ce que j'ai dit ?

C'est un trio silencieux qui tourna rue Stanley peu après. Figgy était persuadé que sa mère avait fini par mettre la main sur le funeste billet. Peter se tourmentait à l'idée de l'algarade qui l'attendait si ses parents apprenaient qu'il avait déserté son poste et que Lavinia avait dû se défendre seule contre un garnement. Quant à Lavinia, qui pouvait dire à quoi elle songeait ? Les deux garçons auraient donné cher pour le savoir ; leur avenir en dépendait.

— Euh, Lavinia, se décida Peter comme ils s'engageaient dans l'allée. J'étais en train de penser... ce n'est peut-être pas la peine de mettre Papa et Maman au courant — ils se feraient du souci pour rien, surtout qu'en fin de compte il y a eu plus de peur que de mal, pas d'accord ?

M. et Mme Figg les accueillirent chaleureusement.

— Alors, vous vous êtes bien amusés ? Le dîner est prêt. Il n'y a qu'à mettre la bouilloire sur le feu et nous pouvons passer à table.

Aucune allusion ne fut faite au billet, pas un instant il ne fut question d'affaires à régler plus tard, après le départ de Lavinia. A plusieurs reprises, Figgy surprit le regard inquisiteur de son frère en direction de leur mère. La mine de Peter s'allongeait à mesure que passaient les minutes : manifestement, son plan avait échoué ; le billet compromettant n'avait pas été trouvé.

Remise de ses émotions, Lavinia se comporta en vraie reine de la soirée. Si elle fut un peu moins bavarde qu'à l'ordinaire, ni son oncle ni sa tante ne parurent le remarquer. Elle souffla dignement ses douze bougies d'un coup, et le glorieux diplomate disparut jusqu'à la dernière miette.

Ainsi finit l'avant-dernier jour de la visite de Lavinia. Figgy se pelotonna au creux de son duvet avec un soupir d'aise. Demain, il réintégrerait sa chambre !

Dans le lit voisin, Peter s'éclaircit la voix.

— Euh, Mike, je voulais te demander : ce billet, tu l'as récupéré ou quoi ?

— *Quel* billet ? Ah ! ce vieux machin ? Tu peux te le mettre où je pense, espèce de singe !

Ce n'était que du bluff, bien sûr, mais pourquoi laisser Peter se réjouir des misères d'autrui ?

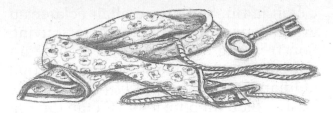

9. Adieux

Lavinia ne prenait le train qu'en début d'après-midi, il fallait donc la supporter encore toute une matinée. Ce qui n'était pas trop difficile, car elle semblait bien résolue à passer ces dernières heures en compagnie de sa tante. Elle aidait Mme Figg à plier le linge fraîchement repassé et à le ranger en diverses piles selon sa destination finale.

Mme Figg repassait un jean de Figgy lorsqu'elle s'arrêta soudain et plongea la main dans une poche dudit jean.

— Qu'est-ce que c'est, Maman ? demanda Peter, plein d'espoir, non sans un coup d'œil à son frère.

Figgy se sentit rétrécir. Cette fois,

c'était la fin. Son crime allait éclater au grand jour. En un éclair, il se souvint. Son frère lui avait bel et bien glissé un indice : « une chance sur un million que Maman n'y voie que du *bleu*... ». Bleu de lessive, bleu du blue-jean ! C'était dans la poche d'un jean sale de Figgy que Peter avait glissé le billet criminel — là où leur mère était certaine de le trouver !

Mme Figg se mit à rire.

— Oh, oh, Lavinia. Tu as dû oublier ce bout de papier quand tu as vidé les poches avant de mettre le linge dans la machine... Ma foi, bien malin qui pourrait deviner ce que c'était : on dirait du papier mâché, pour ce qu'il en reste.

— Oh, souffla Lavinia. Je suis désolée, Michael. J'espère que ce n'était pas quelque chose d'important.

— Bof, t'en fais donc pas, lui dit Figgy, magnanime. Ce n'était sûrement rien du tout...

Lavinia s'en allait !

Sur le quai de la gare, toute la famille regarda le train s'ébranler et le suivit des yeux en agitant le bras jusqu'à ce que le convoi disparût dans un tunnel.

— Je vais faire une balade à vélo, annonça Peter, sitôt de retour à la maison. Mon jean blanc est repassé, Maman ?

— Oui, Majesté, répondit Mme Figg. Il est sur ton lit, prêt à l'emploi.

Peter courut dans sa chambre se faire tout beau pour son rendez-vous avec l'irrésistible Tracey.

Au même instant, un éclair de génie traversa les cellules grises de Figgy. Sa vengeance ! Il l'avait trouvée. Et elle allait faire mal, oh oui ! Elle allait frapper son frère à l'endroit le plus sensible : sa vanité...

Il ne prit pas le temps d'examiner à fond toutes les implications de son inspiration diabolique. Il n'y avait pas une seconde à perdre.

Hâlé, resplendissant dans son jean d'un blanc de neige, Peter dévalait la pente sur son vélo étincelant, en direction de la brochette de filles assises sur le parapet du pont.

— Salut ! dit-il en freinant comme un sourd pour s'immobiliser à leur niveau, avec un sourire digne d'une publicité pour dentifrice.

Mais Tracey-au-vert-cheveu fit la grimace.

– Beuh, qu'est-ce que c'est que ça ? Quelle horreur !

La direction de son regard fit tressaillir Peter d'effroi. Il mit la main à sa braguette – mais non, elle était bien fermée, pas de problème. En revanche, ses doigts venaient de s'enduire d'une substance grasse et poisseuse, noire comme de la suie...

Du cirage !

Il poussa un feulement de bête blessée et examina sa selle.

– Nom d'un...

La selle de cuir au fier profil était entièrement enduite d'une fine couche de cirage noir.

A l'autre bout de la ville, Figgy pressait le pas en direction de la gare routière. Pour la quarantième fois de sa vie, il quittait la maison. Il partait...

Table des matières

l'Atelier du Père Castor présente

la collection Castor Poche

La collection Castor Poche vous propose :

- des textes écrits avec passion par des auteurs du monde entier,
  par des écrivains qui aiment la vie,
  qui défendent et respectent les différences ;
- des textes où la complicité et la connivence entre l'auteur et vous se nouent et se développent au fil des pages ;
- des récits qui vous concernent parce qu'ils mettent en scène des enfants et des adultes dans leurs rapports avec le monde qui les entoure ;
- des histoires sincères où, comme dans la réalité, les moments dramatiques côtoient les moments de joie ;
- une variété de ton et de style où l'humour, la gravité, la fantaisie, l'émotion, la poésie se passent le relais ;
- des illustrations soignées, dessinées par des artistes d'aujourd'hui ;
- des livres qui touchent les lecteurs à différents âges et aussi les adultes.

Un texte au dos de chaque couverture vous présente les héros, leur âge, les thèmes abordés dans le récit. Vous pourrez ainsi choisir votre livre selon vos interrogations et vos curiosités du moment.

Au début de chaque ouvrage, l'auteur, le traducteur, l'illustrateur sont présentés. Ils vous invitent à communiquer, à correspondre avec eux.

CASTOR POCHE
Atelier du Père Castor
4, rue Casimir-Delavigne
75006 PARIS

301 **La croisade des grenouilles (Senior)**
par Stephen Tchudi

Depuis des années, David Morgan, seize ans, élève des têtards prélevés dans le marais pour les observer avant de les rendre à leur eau natale. Mais, ce printemps-là, David apprend la construction prochaine d'un grand centre commercial après assèchement des lieux ! Avec son ami Mike, David lance une enquête et tente d'enrayer le projet...

302 **Rue Planquette**
par Sandrine Pernush

Elsa maudit Paris, la touffeur du mois d'août, cette rue Planquette où, désormais, elle devra habiter. « On » l'a forcée à déménager, « on » l'a arrachée à Bordeaux, à sa meilleure amie. Elsa refuse de commencer une nouvelle vie. Pourtant, un après-midi d'orage, elle aperçoit un garçon sous un parapluie rouge...

303 **Nouvelles d'aujourd'hui (Senior)**
par Marcello Argilli

Un éventail d'histoires courtes, à la fois cocasses, inquiétantes et tendres. La télévision, l'école, les robots, la magie des mots, les contes, le temps, le pouvoir de l'imagination... Autant de thèmes, traités avec humour et un sens critique décapant, qui laissent à penser, à réfléchir.

304 **Millie et la petite clé**
par Anne-Marie Chapouton

Millie vient d'arriver chez sa grand-mère. Elle va sûrement y vivre des aventures extraordinaires, comme à chaque fois. Quand elle trouve une petite clé dorée, elle a tôt fait de découvrir la porte nichée sous le lierre. Et la voilà dans un immense jardin enchanté. Au détour des sentiers, le long du chemin creux, Millie va aller de frayeurs en surprises...

305 L'enquête. Les enfants Tillerman (Senior)
par Cynthia Voigt

À seize ans, James est mal dans sa peau. Toujours brillant en classe, il reste un solitaire qui se lie difficilement. Il voudrait en savoir plus sur ce père qui a abandonné sa femme et ses quatre enfants. James tente d'entraîner son frère dans son enquête. Sammy se laisse prendre au jeu, qui bientôt n'en est plus un...

306 Un cheval de prix
par Mireille Mirej

Nathalie, onze ans, est passionnée de chevaux. Pourtant, elle n'a jamais eu l'occasion de monter à cheval. Un télégramme fait basculer son univers : on lui offre un cheval. Comment héberger un tel animal quand on habite une cité de la banlieue parisienne ? La partie n'est pas facile à gagner...

307 José du Brésil (Senior)
par Aurélia Montel

Au début du siècle, au Brésil, la vie est rude pour les paysans du Ceara. Quand le jeune José découvre le vieil homme qui l'a recueilli, mortellement blessé, c'en est trop pour lui. José entame alors une longue marche vers la côte qui le conduit jusqu'en Amazonie. Cependant, l'adversité, sous l'inquiétant visage d'un aventurier redoutable, s'attache aux pas de José...

308 Julie, mon amie gorille
par Francine Gillet-Edom

Hier encore, Aubrée était à Bruxelles et la voilà pour un mois au Zaïre. Lors d'une promenade à cheval avec son cousin, elle découvre un bébé gorille blotti auprès de sa mère morte. Mais, Julie, comme l'a prénommée Aubrée, suscite la convoitise des trafiquants. Pourra-t-on la ramener dans le sanctuaire des derniers gorilles des montagnes ?

309 **La maison en danger**
par Marilyn Sachs

La maison des Ours, Fran Ellen l'adore. C'est une maison de poupée. La maîtresse a dit que le soir des vacances elle l'a donnerait à l'élève le plus méritant. Fran Ellen sait bien que ce ne sera pas elle : elle suce encore son pouce – à dix ans ! – et d'ailleurs personne ne l'aime. En plus, à la maison, la vraie, rien ne va. Avec une volonté farouche, Fran Ellen va tenter de faire face.

310 **Laura et le mystère de la chambre rose**
par Jacques Delval

Pour lui éviter de longs trajets quotidiens entre l'école et la maison, Laura va habiter chez une grand-tante. Et voici Laura emportée dans une aventure des plus étranges. Quel mystère cache la vieille demeure ? Pourquoi ces bruits inquiétants, ces chambres toujours fermées à clef ?

311 **Prune**
par Luce Fillol

Prune, dix ans, se laisse aller à la douceur de vivre dans un nid douillet. Un jour, inexplicablement, le nid se lézarde, se fend comme une coquille fragile. Prune brutalement « réveillée » se trouve mêlée aux problèmes de ses voisins. Elle va lutter pour le bonheur des autres en espérant la réconciliation de ses parents.

312 **La terre de Yenn (Senior)**
par Jean Coué

Il y avait alors le Bréac'h du bas avec ses toits d'ardoises, sa mairie et son clocher piqué sur le mouvant du ciel. Et il y avait le Bréac'h du haut. C'était une autre vie, une autre terre, isolée dans la profondeur de ses pierres, de ses moissons tardives. Une vie dure que Yenn, l'enfant du Bréac'h du bas, décide d'affronter.

313 **La maison retrouvée**
par Marilyn Sachs

Maman est guérie, la famille à nouveau réunie... Tout sera bientôt parfait, même si la petite sœur adorée tarde à se laisser réapprivoiser, même si la maison des Ours a durement souffert de ces deux ans d'abandon forcé. Mais, rien n'est plus comme avant, Fran Ellen s'en aperçoit vite. Le plus dur sera de l'accepter, et d'accepter de grandir sans se laisser abattre.

314 **Le cannibale de Joséphine**
par Roger Judenne

Dans la chaleur d'une fin d'après-midi, Robert Deprémesnil rejoint sa fille. Le riche planteur est heureux de lui offrir l'un des esclaves qu'il vient d'acheter. Le petit homme aux yeux vifs intrigue tout de suite Joséphine. Son imagination va l'entraîner à échafauder les hypothèses les plus folles...

315 **Tu avais promis !**
par Kathy Kennedy Tapp

Passionnées par l'univers de Tarzan, Erin et son amie se sont aménagé un refuge secret. De cet endroit caché, Erin va faire une découverte qui la bouleverse... Que se passerait-il à la maison si sa mère apprenait la vérité ? Et ses projets de vacances ? Avec la joie de vivre de ses douze ans, Erin décide de se battre...

316 **Le défi d'Alexandra (Senior)**
par Scott O'Dell

Les Papidimitrios sont pêcheurs d'éponges depuis des générations. Au cours d'une plongée au large des côtes de Floride, le père est victime d'un accident. Sous la conduite de son grand-père, Alexandra décide de reprendre le difficile métier. Mais tous les dangers ne résident pas dans les profondeurs marines...

317 Une page se tourne (Senior)
par Jenny Davis

Edda, au seuil de l'âge adulte, se penche sur son enfance avec un regard lucide et tendre. La vie n'a pas toujours été facile pour son petit frère et elle. Leur mère a été durement marquée par la mort accidentelle de leur père, et le fait qu'elle soit tombée amoureuse de l'homme responsable de l'accident n'a pas simplifié les choses.

318 Une grand-mère d'occasion
par Christine Arbogast

Finie la salle de jeux ! Les parents de Nicolas ont décidé d'y accueillir une pensionnaire. Et quelle pensionnaire ! La présence de Mme Ushuari va transformer bien des choses à la maison et dans la vie de Nicolas. Il faut dire qu'elle n'est pas une grand-mère comme les autres !

319 Blaireaux, grives et compagnie
par Molly Burkett

Chez la famille Burkett, les animaux ne font que passer, le temps de se refaire une santé avant de retrouver la liberté. Mais, que le séjour soit bref ou long, de la couleuvre au hérisson, chacun fait preuve d'imagination !

320 Vie et mort d'un cochon (Senior)
par Robert-Newton Peck

Quand Robert trouve la vache du voisin en train de s'étouffer et le veau qui n'arrive pas à naître, il réussit à les tirer d'affaire comme un homme. En récompense, il recevra un cochon qui sera sa grande richesse. Mais, dans une ferme si pauvre, peut-on garder une bête seulement pour le plaisir ?

321 **L'enfant multiple (Senior)**
par Andrée Chedid

Marqué par la violence et la mort, Omar-Jo découvre Paris. Il rencontre Maxime le forain, qui laisse son manège à l'abandon. Et dans la nuit, les lumières s'allument, la musique éclate, la fête commence. L'enfant du malheur devient le messager de la joie.

322 **Sauvé par les éléphants**
par Hilary Ruben

Au cœur du Kenya, un jeune berger masaïs se fait attaquer et voler une partie du troupeau. Son cousin assiste à la scène sans intervenir. Abandonnant Konyek blessé, il rentre au village pour raconter une version tout à son avantage. Konyek arrivera-t-il à retrouver son bien et la confiance des siens ?

323 **Drôle de Noël !**
par Wolf Spillner

La grand-mère de Hans a pour seule compagnie un pigeon. L'animal vit dans sa cuisine, ce que sa belle-fille ne peut supporter. Le jour de Noël, il voit sa mère le pigeon mort à la main. Elle prétend l'avoir tué sans le vouloir. Hans tente alors de comprendre les sentiments de chacune.

324 **La famille dispersée.** Le Train des orphelins.
par Joan Lowery Nixon

En 1860 à New York, une famille d'origine irlandaise est frappée par le malheur. La situation désespérée oblige Mme Kelly à envoyer ses six enfants avec le Train des orphelins. Là-bas, dans l'Ouest, ils sont adoptés par différentes familles. France, l'aînée, raconte comment ils affrontent les séparations et les aventures de leur nouvelle vie.

325 **Le Chasseur de Madrid**
par José Luis Olaizola

Juan Lebrijano et sa famille quittent leur village pour s'installer à Madrid. Bientôt, il perd son emploi. Au cours d'une promenade dans un parc avec son fils Silverin, Juan a l'idée de chasser les pigeons pour nourrir sa famille. C'est défendu par la loi, et Silverin va vivre bien des péripéties, il jouera même dans un film.

326 **Dégourdis à vos marques**
par Edouard Ouspenski, Els de Groen

Bien des obstacles séparent Youri, soviétique, de Rosalinde, une amie hollandaise. Un concours international d'enfants modèles leur fournira-t-il l'occasion attendue ? La sélection impitoyable des candidats et la présence de voleurs d'enfants se conjuguent pour offrir un récit plein de suspense et d'humour.

327 **La montagne aux secrets (Senior)**
par Grace Chetwin

Dernier-né de dix enfants, Gom grandit sur la montagne avec son père bûcheron. Les gens du bourg regardent de travers ce garçon qui ressemble trop à sa mère, une étrangère. Il a l'œil trop vif, la langue trop bien pendue, et il semble savoir bien des choses pour un enfant de la montagne.

328 **Petit-Jean d'Angoulême**
par Chantal Crétois

Au début du XIIe siècle, Gianbatista, le sculpteur italien, arrive à Angoulême après un long voyage à cheval depuis Toulouse. À l'entrée de la ville, un jeune garçon, Petit-Jean, se propose de le guider jusqu'au chantier de la cathédrale et de lui trouver un logement. Mais la profonde affection qui les unit bientôt suscite bien des conflits avec leur entourage.

329 Un creux dans le mur
par Anne-Marie Chapouton

Parce que son père n'est pas revenu de la guerre, une fillette refuse d'apprendre à lire. Recueillie à la mort de sa mère par son oncle et sa tante, elle n'a pas une vie facile. Un jour, un homme s'arrête à la ferme. Aïna est certaine qu'il s'agit du voleur de troupeaux dont on parle tant. Malgré sa méfiance, une étrange relation s'instaure entre eux...

330 Les fantômes de Klontarf
par Colin Thiele

Matt et Terry vont jouer dans la colline. Un orage éclate, Terry tombe et se casse la jambe ! Matt laisse Terry à l'abri d'une demeure abandonnée. Lorsque les secours arrivent, Terry, prétend avoir vu des fantômes... Malgré l'hostilité des propriétaires de le vieille ferme, Matt et ses amis n'abandonnent pas. Ils vont affronter le danger pour découvrir quels mystères cachent ces vieux murs...

331 Très chers enfants (Senior)
par Christine Nöstlinger

Ce recueil est celui des lettres qu'Emma, âgée de soixante-quinze ans, aurait aimé adresser à sa famille. Parfois ironique, toujours drôle, le ton est celui d'une grand-mère soucieuse du bonheur de son entourage... et du sien.

332 Un bateau bien gagné
par Lee Kingman

Alec rêve depuis toujours d'avoir son propre bateau. Il est sûr de gagner celui de la tombola de la fête de la Mer. Hélas ! Et la vieille dame qui a gagné le canot compte le mettre sur sa pelouse et le garnir de pétunias ! Alec ne peut laisser faire une telle horreur !

333 Dans l'officine de maître Arnaud
par Marie-Christine Helgerson

À Reims, au Moyen Age, Thierry, fils d'un sculpteur veut être médecin pour guérir les lépreux. Il aime Margotte, une jongleuse acrobate. Les recherches de maître Arnaud, son professeur, progressent mal. Vivre avec Margotte ? Poursuivre ses études ailleurs ? Thierry devra choisir.

334 Pris sur le fait. Le Train des orphelins.
par Joan Lowery Nixon

En 1860, à New York, une famille irlandaise est frappée par le malheur. Mme Kelly est obligée d'envoyer ses six enfants dans le Train des orphelins vers l'Ouest. Ils sont adoptés par des familles différentes. Mike a été recueilli par les Friedrich, pour travailler à la ferme. Très vite, Mike va soupçonner M. Friedrich d'avoir commis un meurtre.

335 Ma patrie étrangère (Senior)
par Karin König, Hanne Straube, Kamil Taylan

Oya a grandi à Francfort et s'y sent chez elle. Ses parents décident un jour de rentrer en Turquie. Cette nouvelle bouleverse Oya qui ne pourra plus faire ses études d'infirmière. Et voilà que ses parents parlent déjà de fiançailles.

336 À la dérive sur le Mississippi
par Chester Aaron

Albie vit dans une vieille ferme du Wisconsin, près des berges du fleuve. Trop près, car à chaque printemps reviennent les crues. Alors qu'il est seul, le garçon se réveille en pleine nuit dans une maison flottant sur les eaux furieuses du Mississippi. Un puma, animal redouté des pionniers, se retrouve bloqué avec lui. Au milieu des eaux boueuses, Albie lutte pour sa survie.

337 Une fille im-pos-sible (Senior)
par Cynthia Voigt

À onze ans, Mina vit un rêve : un stage de danse classique. À douze ans, le rêve se brise. Son corps s'est transformé trop vite, et Mina maîtrise mal ce bouleversement. Meurtrie, elle s'interroge : seule Noire du groupe, n'est-ce pas la raison de son exclusion ? Mais Mina a de la volonté. Rien ne saurait l'arrêter, même pas le caractère d'oursin d'une certaine Dicey Tillerman.

338 Passage de la Main-d'Or
par Laurence Lefèvre

Estelle et Antoine Bonnard, leurs enfants – Victor et Indiana –, emménagent dans un vieil atelier du XIᵉ arrondissement de Paris. Indiana rencontre un curieux jeune Anglais amnésique. D'où vient-il ? Pourquoi a-t-il si peur des chats ? Un vent de folie souffle sur le passage de la Main-d'Or.

339 Des ombres sur l'étang
par Alison Cragin Herzig

Jill et Marion se retrouvent chaque été dans le Vermont. Leur domaine secret se cache au milieu d'un étang formé par un barrage de castors. Cet été-là, les castors sont menacés par un trappeur. Les deux amies décident de protéger leur territoire.

340 Face au danger. Le Train des orphelins.
Par Joan Lowery Nixon

Ce troisième livre nous narre la vie de Maguy. Celle-ci est heureuse d'avoir été choisie par un couple plein de gentillesse, elle pense avoir enfin conjuré le mauvais sort qui s'acharnait sur elle et les siens. Pourtant de nouvelles épreuves l'attendent. Confrontée au danger, Maguy découvre son courage et sa force morale.

341 **Accroche-toi Faustine (Senior)**
par Philippe Barbeau

À la suite d'une angine, Faustine apprend que ses reins ne fonctionneront plus. Elle sera dialysée. Les mois passent, Faustine supporte mal le traitement. Il faut envisager une greffe, l'attente est longue. Par chance, avec des amis elle fonde un groupe de rock. La vie reprend quelques couleurs.

342 **Camarade Cosmique**
par Nancy Hayashi

Un message dans un livre de bibliothèque, signé *Camarade Cosmique*, Eunice, intriguée, répond par un petit mot dans un autre livre. Les messages se succèdent, mais Eunice ne sait toujours pas qui est Camarade Cosmique. Quelqu'un de son école sûrement, et qui partage sa passion pour la science-fiction. Oui, mais qui ? Eunice mène son enquête...

343 **La pierre d'ambre (Senior)**
par Patrick Vendamme

Par monts et par vaux, par pechs et par combes Guérin-le-Berger garde les moutons avec la petite Fanette. « Il a des pouvoirs, dit-on de lui au village, qu'il tient de la Jeannette ou du Malin. » Guérin ne craint rien ni personne, mais survient la variole, châtiment divin, assurément, pour punir ceux qui ont écouté Guérin-le-Sorcier...

344 **L'oiseau de mer (Senior)**
par David Mathieson

Quelque part le long des côtes de la Colombie-Britannique, un avion de tourisme s'écrase. Hélène, dix-sept ans, l'unique survivante, ne devra sa survie qu'à son courage, son astuce, et à son ingéniosité. Bientôt, elle décide de fuir à bord d'un bateau qu'elle construira de ses mains avec des matériaux de fortune, trouvés sur place.

345 **Les pires enfants de l'histoire du monde**
par Barbara Robinson

Les enfants Herdman sont vraiment les pires enfants de l'histoire du monde. Ils volent, mentent et se battent. Les filles comme les garçons passent leur temps à faire les quatre cents coups. C'est pourquoi, le jour où ils se proposent pour interpréter les rôles de la crèche de Noël, tout le monde redoute le pire. Il est certain que cette veillée de Noël sera inoubliable !

346 **Le trésor de Grand-Pa**
par Annie Murat

Le grand-père de Stéphane ne cesse de répéter qu'il possède un trésor si bien gardé que personne ne peut le lui voler. Mais Grand-Pa est malade. Stéphane et son amie Maruschka s'aperçoivent que quelqu'un a pénétré dans le chalet abritant les ruches. Maruschka décide alors de tendre un piège au voleur.

347 **Ouf ! pas de vacances cette année**
par François Schoeser

Manu ne partira pas en vacances cet été. Tant mieux ! car les parents sont adeptes des longues randonnées à pied et des visites de musées interminables. M. Martin, un nouveau voisin, se présente comme un officier de renseignement en retraite, un ex-espion en somme. Suivant ses conseils éclairés, Manu va mener des enquêtes. Voilà qui promet un été passionnant.

348 **Le mystère de la maison aux chats**
par Carol Adorjan

Beth vient d'emménager dans une vieille maison, elle a pour voisin un couple aux allures originales. La dame propose à Beth de nourrir en son absence les cinq chats qu'elle a recueillis. Mais des indices étranges intriguent Beth. Il y a quelqu'un d'autre dans la maison. Il faudra du courage et de la détermination à Beth pour mener son enquête.

349 Intrépide Sarah (Senior)
par Scott O'Dell
La famille Bishop est décimée par la guerre civile américaine (1775-1782) et Sarah se retrouve seule. Elle s'enfuit dans une région sauvage ; désormais, elle vivra isolée dans une grotte, affrontant l'hiver, les animaux sauvages, et les hommes...

350 Peter Pan
par James M. Barrie
C'est l'histoire des enfants Darling et de Peter Pan, le garçon qui ne veut pas grandir. L'aventure commence la nuit où Peter revient chercher son ombre, et apprend aux enfants Darling à voler. Dans l'île imaginaire vivent des fées, des sirènes, et bien sûr, le terrible Capitaine Crochet.

351 Danse avec les loups (Senior)
par Michael Blake
Le lieutenant Dunbar est affecté au fort Sedgewick, au fin fond de l'Ouest sauvage. À son arrivée, le fort est désert. Il se retrouve seul jusqu'au jour où il ramène une femme blessée chez les Comanches. Il apprend leur langue et tombe amoureux de cette Blanche que les Indiens ont enlevée. Comme elle, le lieutenant va devenir un Indien, celui qui Danse avec les loups...

352 Pas sous le même toit !
par Chantal Crétois
François Clérac découvre dans une grotte une protestante blessée et son bébé. Or François déteste les protestants depuis que ses parents ont été massacrés par eux. L'oncle Antoine, qui a recueilli le garçon, décide de soigner l'hérétique, François quitte la maison. Bientôt, il accompagne un colporteur dans sa tournée. Mais celui-ci est-il catholique ?

353 **Samira des Quatre-Routes**
par Jeanne Benameur

Samira, treize ans habite dans la banlieue parisienne. Chez elle, tout le monde ne pense plus qu'au mariage de sa sœur de dix-huit ans. Samira ne comprend pas bien ce choix, elle veut poursuivre des études. Samira se sent déchirée, comment vivre sa vie sans trahir les siens ?

354 **Sundara, fille du Mékong (Senior)**
par Linda Crew

À treize ans, Sundara quitte le Cambodge pour échapper aux Khmers rouges. Elle laisse derrière elle les siens. Quatre ans plus tard, Sundara doit concilier sa nouvelle vie américaine, son amour pour Jonathan et les souvenirs qui l'attachent à son passé...

355 **Ce soir à la patinoire (Senior)**
par Nicholas Walker

Benjamin, quinze ans, se retrouve un peu par hasard partenaire attitré, en danse sur glace, de la pire pimbêche de sa classe. Que vont dire ses copains, eux pour qui seul le rugby est une activité virile ? Et il faut s'entraîner de plus en plus dur ! Même s'il est à couteaux tirés, ce duo ira loin !

356 **Un chien tombé du ciel**
par Ivy Baker

Ben se retrouve seul pour traire les vaches, entretenir la laiterie... lorsque son père est conduit de toute urgence à l'hôpital. Isolé, inquiet, Ben reçoit comme un don du ciel un chien blessé, tombé du camion qui le transportait. Mais Charcoal n'est pas n'importe quel chien...

357 Les croix en feu (Senior)
par Pierre Pelot

Après la guerre de Sécession, Scébanja revient sur les terres où il est né esclave afin d'acheter une ferme et de se comporter en homme libre. Mais c'est compter sans la haine des Blancs. Appauvris par la guerre, ils voient d'un mauvais œil leurs esclaves d'antan s'émanciper. Le Ku Klux Klan est né !

358 Père loup
par Michel Grimaud

Pour sauver Olaf, un loup qu'il a élevé, et que le directeur du cirque veut abattre, le clown Antoine ouvre la cage en pleine nuit. L'homme et la bête s'enfoncent au plus profond des bois. Furieux, le patron du cirque prévient les gendarmes, et bientôt tout le pays croit qu'une bête féroce menace la région.

359 Une grand-mère au volant
par Dianne Bates

La grand-mère de Cadbury conduit un énorme véhicule de trente-six tonnes à dix vitesses. Le garçon est mort de honte. Mais une grand-mère camionneur cela a beaucoup d'avantages surtout lorsqu'elle vous balade dans toute la région, et qu'il vous arrive des tas d'aventures. Finalement, Cadbury est très fier de Grandma.

360 Hook
par Geary Gravel

Nous retrouvons Peter Pan qui a accepté de grandir. Père de famille prospère, il a tout oublié de sa jeunesse. Mais un jour, ses enfants sont enlevés par le terrible Capitaine Crochet. Peter devra retourner au Pays imaginaire, aidé de la fée Clochette. Ce livre est tiré du film de Steven Spielberg *Hook*.

361 **La dame de pique (Senior)**
par Alexandre Pouchkine
À Saint-Pétersbourg, dans la Russie tsariste, l'officier Hermann, contrairement à ses camarades, ne joue jamais aux cartes. Sauf un jour, parce qu'il est sûr de gagner. Oui ! mais aux cartes, on n'est jamais sûr de rien.

362 **Sous la neige l'orchidée**
par Patrick Vendamme
Claudia s'ennuie dans la luxueuse maison où elle est si souvent seule. Aussi son chien Mick tient-il une place importante dans sa vie. Un jour, il disparaît. En menant des recherches, Claudia rencontre un clochard bougon. Mais qui est cet homme ? Peu à peu, une complicité unit ces deux solitaires...

363 **La famille réunie. Le Train des orphelins.**
par Joan Lowery Nixon
Danny et Pat Kelly sont recueillis par un couple qui les élève avec amour. À la mort d'Olga, Danny espère remarier sa mère à Alfrid qu'il aime comme son père. Tout ne se passera pas tout à fait comme prévu, mais la famille Kelly retrouvera le bonheur.

364 **Maître Martin le tonnelier... (Senior)**
par Theodor Hoffmann
Maître Martin le tonnelier est un père possessif qui a juré de ne donner sa ravissante fille qu'à un artisan de sa confrérie. Pour gagner l'agrément du père, deux jeunes hommes sont prêts à renoncer l'un à son rang, l'autre à son art. Pourtant la raison l'emportera finalement.

365 **La Vénus d'Ille et Carmen (Senior)**
par Prosper Mérimée

Tout commence dans la joie du prochain mariage du fils de Peyre-horade avec une jolie héritière de la région. C'est compter sans la statue de Vénus qui orne le jardin. Le fiancé a glissé au doigt de la déesse son alliance qui le gênait lors d'une partie de jeu de paume...

366 **Othon l'archer (Senior)**
par Alexandre Dumas

Le comte Ludwig est jaloux. Il soupçonne sa femme d'aimer Albert, et craint que son fils Othon soit le fruit de cet amour coupable. Il chasse sa femme et destine Othon à une vie de moine. Mais Othon s'enfuit et s'engage dans une compagnie d'archers.

367 **Le Cheval blanc (Senior)**
par Karin Lorentzen

Silje reçoit pour son anniversaire le cadeau de ses rêves, une jument blanche. Elle va devoir dresser Zirba pour atteindre son but : gagner des compétitions. Elle apprendra la rudesse de l'équitation et la sévère concurrence qui existe au sein de ce sport de haute compétition.

368 **La Gouvernante française (Senior)**
par Henri Troyat

À la veille de la Révolution d'Octobre, Geneviève arrive à Saint-Pétersbourg. Elle est française, gouvernante des enfants Borissov. Elle découvre, à travers ses yeux d'étrangère, l'insurrection bolche-vique, le dénuement soudain des familles bourgeoises, le danger, mais aussi la fougue. Elle va tomber amoureuse de la Russie.

369 **Le Dernier Rezzou (Senior)**
par Jean Coué

D'abord vinrent les camions, puis les pétroliers. Alors, pour certains, le Sahara cessa d'être. Pourtant ! Il suffit qu'un vent fou lève le sable, et de la tempête, surgit le passé enfoui au cœur des hommes ! Une histoire de Touareg, et d'hommes de l'Algérie du Nord durant trois jours, le temps d'une tempête.

370 **Un si petit dinosaure**
par Willis Hall

Edgar Hollins éprouve une vraie passion pour les animaux préhistoriques, alors, comment ne garderait-il pas l'œuf de dinosaure qu'il trouve un jour, même si personne n'y croit, et que son père lui ordonne de le jeter ? Bravant l'interdit paternel, il va élever clandestinement le bébé dinosaure sorti de cet œuf...

371 **Un cœur presque tout neuf**
par Christine Arbogast

Christophe a un père merveilleux : il est inventeur ! Mais Papa est malade, il doit être opéré. Pendant son absence, la vie de la famille continue, et, lorsque le malade rentre avec un cœur presque tout neuf, il découvre que ses enfants ont de bonnes idées d'invention !

372 **Drôle de passagère pour Christophe Colomb**
par Valérie Groussard

Julie vivait heureuse auprès du roi son père. Mais un jour, toute la cour fut transformée en animaux. Julie devint un petit cochon ! Avec l'aide de ses amis magiciens Miranda et Aldo, elle embarqua sur le bateau de Christophe Colomb pour dénouer le mauvais sort en pleine mer. C'est ainsi que Julie accompagna le navigateur en route vers les Indes !

UNE PRODUCTION DU PÈRE CASTOR
FLAMMARION

Bibliothèque de l'Univers
Isaac Asimov

**La Bibliothèque de l'Univers :
des photos surprenantes, des dessins suggestifs,
des textes vivants et parfaitement à jour qui nous éclairent
sur le passé, le présent et l'avenir de la recherche spatiale.**

«*Mon message, c'est que vous vous souveniez toujours que la science, si elle est bien orientée, est capable de résoudre les graves problèmes qui se posent à nous aujourd'hui. Et qu'elle peut aussi bien, si l'on en fait un mauvais usage, anéantir l'humanité. La mission des jeunes, c'est d'acquérir les connaissances qui leur permettront de peser sur l'utilisation qui en est faite.*» Isaac Asimov

«*Avec cette nouvelle collection de trente-deux livres, tous les futurs conquérants de la galaxie vont s'installer en orbite autour de la planète lecture ! Isaac Asimov, un grand écrivain de science-fiction, raconte l'aventure des fusées, des satellites et des planètes. (...)*
Des livres remplis d'images et de photos, indispensables pour tous les scientifiques en herbe !»